KB103462

작가 필명 **Mr. A**

별의별 이야기 모음집

도서명 : 별의별 이야기 모음집

발　행 | 2024년 06월 18일
저　자 | Mr.A
펴낸이 | 한건희
펴낸곳 | 주식회사 부크크
출판사등록 | 2014.07.15.(제2014-16호)
주　소 | 서울특별시 금천구 가산디지털1로 119 SK트윈타워A동305
호 전　화 | 1670-8316
이메일 | info@bookk.co.kr

ISBN | 979-11-410-9020-3

www.bookk.co.kr
ⓒ 저자명 : Mr.A　2024
본 책은 저작자의 지적 재산으로서 무단 전재와 복제를 금합니다.

* 목차 *

영화 아일랜드 패러디

영화 '아일랜드' 패러디

이 춥고 어두운 곳에 온 지 벌써 3일째. 여기가 어딘지 물어보면, 항상 멘트는 똑같다. 오염되고 아주 더운 밖의 세상으로부터 생존자들을 보호하기 위해 만들어진 보호시설... 물론 그들의 정보도 다 관리자들이 말해준 거겠지...

나는 관리자들을 신뢰하는 편이 아니다. 모두 추첨시간을 기다리고 수다 떨 때마다 주제로 삼았지만 난 그냥 가만히 있었다. 상황을 좀 더 지켜봐야 겠다. 매일 불특정한 시간에 랜덤으로 추첨이 이루어진다. 당첨되면 더 좋고, 깨끗하고, 덥지 않은 '유토피아' 같은 곳으로 데려간다고 한다. 관리자들은 불규칙적이지만 종종 당첨자를 데리고 보호시설을 나갔다.

그러던 어느 날 신체의 일부가 뜯겨 나간 동료가 가까스로 다시 들어오면서 나의 숨겨왔던 의심은 확신으로 바뀌었다.

"아니 이 친구야 무슨 일이 있었던 거야!"

"허억...허억... 내 말 잘 들어 이 모든 것은 음모야! 유토피아같은 곳은 어디에도 없어! 추첨은 관리자가 기분 내키는 대로 정해서 당첨되면 끌고 나가서 유린하고 고문하는 것 뿐이었어!!"

"고문이라니? 그건 너무하잖아! 근데 도대체 어떤 고문을 당했길래 이 모양으로....."

"토막살인, 불고문, 물고문, 기름에 튀기는 바이킹식 처형대도 봤어.... 각자 개별적으로 가장 어울리는 고문을 당하고 마지막엔 다 죽었어. 내 친구들은 다죽고 나만 살았다고!!!"

"어서 다른 친구들에게 알리자!"

"일단 관리자한테는 우리가 아무것도 모르는 척 하면서, 주위에 알리자. 최대한 빠져나오게 은밀히 진행하자구!"

"일단 응급처치를..."

"곧 신참이 들어오니까 일단 날 좀 숨겨줘!"

거대한 문이 열리고 새로 들어온 신참들은 3명이였다. 1명이 냉동만두였고 나머지 2명은 아이스크림이었다. 다쳐서 숨어있는 초콜릿에대한 이야기를 하고 싶어서 입이 근질근질했지만, 지금은 신참 받는 시간이라 난동을 부리면 오히려 계획에 차질이 있을 것 같았다. 관리자가 떠나기를 기다리다.... 갑자기 관리자(손가락)가 갑자기 이렇게 말했다.

"오늘은 신참 온김에 추첨도 같이해야겠다..... 당첨자는.... '냉동새우' 축하한다! 더 좋은 곳으로 데려다주지!"

나는 절망했다. 내가 당첨된 것이다. 설마.... 손가락들이 이 모든 것을 알고 날 뽑은거면 어떡하지? 좋다 이판사판이다.

과연 새우는 이 위기를 어떻게 넘길 것인가?

그리고 관리자의 계략과 음모의 끝은 어디인가?

Runner of Refrigerator

냉장고를 달리는 자! 12월 대 개봉!!!!! Coming soon!!!

두둥 둥 두둥

월요일의 언니

에리언니가 요일마다 각기 다른 느낌이 든다는 것은 아주 어릴 적부터 알고 있었다. 뭐라 딱 잡아낼 수 없는 그런 미묘한 차이였지만 가족이 되어 매일 보면 알 수 있는 그런 차이가 있다. 언니가 성인이 되고 내가 중학생이 될 때쯤에는 아주 확신 같은 것이 생길 정도였다. 요일마다 새로운 인격이 있지는 않을 테니, 요일 징크스나 자기 암시 같은... 그런게 있을지도 모른다고. 언니의 월요일은 월요일끼리 화요일은 화요일끼리 일관성 있게 같은 느낌을 공유했다.

그런데 어느 날 월요일의 느낌이 바뀌었다.

뭔가 언니 느낌(월요일)이 덜 나면서 낯선 기운이 감돈다. 나는 이것이 너무 확실해서 무심코 말을 내뱉고 말았다.

"원래 있던 월요일의 에리 언니는 어디 갔어요?"

말을 하고 나서 아차 싶었지만 한번 뱉은 말은 주워 담을 수가 없었다. 그리고 언니는 이렇게 대답했다.

"언제부터 눈치채셨나요?"

나도 무심코 높임말 쓰긴 했지만, 동생한테 높임말을 쓰다니...

"저번 주부터요."

"에리 성격하고 기억 인수인계를 다 못 끝내서... 죄송합니다. '에리'는 처음이고 아직 신입이라서 좀 미숙해도 이해해 주셨으면 해요. 노력해서 선임 에리보다 더 좋은 에리가 될게요."

마치 에리 언니가 직장의 부장, 차장 같은 직책처럼 말했다. 나쁜 사람 같은 느낌은 아니었다.

"영화 '월요일이 사라졌다'처럼 일곱명의 숨겨둔 쌍둥이인가요?"

"아니요. 하나의 육신에 7명의 자아가 요일별로 나눠서 '로그인'을 하고 있습니다."

"로그인?이라면 영혼에 '빙의'되는거 말하는 거죠?"

"알기쉽게 표현하면, 예. '빙의'라고 해도 무방할 듯 하네요."

"월요일의 에리 언니는 왜 그만둔 거예요?"

"개인적인 사정... 으로만 알고 있어요."

"다른 요일 맡으신 분들은 무사하세요?"

"주말 맡으신 분들은 정규직이시고 화, 수요일 맡으신 분들은 계약 연장하셨다고 들었어요. 나머지 분들은 잘 몰라요."

"이런 거 저한테 말해줘도 괜찮나요?"

"어차피 말해도 믿을 사람이 없어서 못 한 거에요. 또 업무에 지장을 줄까 봐도 그렇고. 무엇보다 동생분께서 이미 눈치를 채셨잖아요. 비밀은 잘 지켜 주실 거죠?"

"그럼요."

그리고 그 순간 밤 12시가 지났다. 에리 언니는 갑자기 웃음을 참지 못한것처럼 깔깔거렸다.

"짜식! 넌 중학생이 되어도 맨날 나한테 속는구나! 순진한것도 정도가 있지~"

"언니가 농담하는 거 맞장구쳐 준건데?"

"에이~ 진짜? ...그래! 뭐^^ (비웃는듯한 눈웃음)"

화요일의 에리 언니다.

그리고 다음 월요일 에리 언니의 느낌이 또 새롭게 바뀌었고, 그 후 월요일의 에리 언니로 고정되어 버린 듯하다.

어떤 뉴스

어떤 뉴스

"다음 뉴스입니다.

∑식당에서 음식을 먹은 후 배가 아프다며 병원을 찾은 a군과 연인인 b양이 검사 결과 식중독인 것으로 판정 났습니다. b양은 음식을 먹어보고 음식 맛이 이상하다고 주방장에게 물었으나 주방장은 원래 맛이 그런 거라며 b양을 설득했고, b양은 먹고 남은 음식을 포장해서 take out 했습니다. 식중독 판정 후 b양이 take out한 음식을 식약청에 의뢰해 검사해 본 결과 음식의 표면에 '생명'이 살고 있으며 심지어 사회를 이룰 만큼 발달했다는 충격적인 사실이 드러났습니다. 이 소식을 들은 네티즌들은'그런 쓰레기 같은 행성을 잘도 음식이랍시고 팔다니...'라며 분노하고 있습니다. b양이 먹었던 행성 '지구'는 표면에 생명이 번식하지 않은 곳을 찾아보기 어려운 상태였고 a군이 먹었던 행성 '달'은 지구 문명이 쏘아 보낸 관측장비나 기타 쓰레기에 미량의 생명이 있었다고 합니다. 현재 a군은 가벼운 식중독이지만 b양은 상태가 심각해지는 바람에 사경을 헤매고 있습니다. 음식점 주인∑씨는 현재 구속 중이며 a군은 소송을 준비하고 있다고 합니다. take out 한 음식이 완벽한 증거로 인정되는 상황으로 ∑씨는 중형을 피하기 어려워 보입니다.

램프를 여는 방법

램프를 여는 방법

우연히 산을 타다가 유적 발굴하는 사람들을 보게 되었다. 접근금지 표지판을 세우고, 국가에서 나온 사람들이 장비를 가지고 작업을 하는 중이었다. 그래서 지나가다가 다른 길로 돌아갔다.

그러다가 좀 길이 잘 닦여지지 않은 곳으로 돌아가는데, 램프같이 생긴 것을 발견하였다. 설마? 하고 주워 보니 아주 오래된 유물 같아 보였다. 문지르면 '지니'라도 나오나?

해서 살짝 닦아 보았다.

기대를 딱히 하지는 않았는데 뭔가 나온다.

진짜가 걸린 것이다.

"우와! 이거 진짜다! 우와! 저 소원 말해도 되나요?"

"어? 소원? 잠깐만..."

하더니 '지니'의 눈앞에 인류역사?의 장면으로 추정되는 환상이 잠깐 나타났다 사라졌다. 그러더니....

"아하! 일단은 그럼, 설명부터 하고 시작하자. 너 램프를 문질러서 요정을 깨운다는 설정, 어디서 알게 됐지?"

"동화책이나 영화 뭐 그런..."

"그 이야기가 어디서 시작 됐는지 생각해 본적 있나? 인도에서 최초로 발견된 램프. 그리고 그것을 설명하는 문서가 있었다. '극한으로 발전한 고대문명'... 일일이 다 설명하기 귀찮으니까, 대략 이정도만 알고 있으렴."

그제서야 아까 지나가던 인류역사의 환상이, 컴퓨터 화면
'창'하고 비슷했다는 것을 깨달았다. 외계 컴퓨터 UI처럼
보였는데, 적힌 문자나 기호가...

"그런데 그 문서와 모형은 설명용이라서 실제가 아니었거든.
이때부터 진품을 찾으려는 시도가 있었다. 역사 단위로,
여러 국가에서, 언제나 비공식적으로 행해졌다. 인류에
도움이 되는 방향으로 쓰려는 발상을 당연히 했겠지. 의도는
대략적으로 두가지였다. 찾아내서 활용하거나, 찾아내서
깨우지 않고 놔두거나. 그 문서가 어떤 내용이었길래
그랬을까? 왜 그토록 찾으려 했을까? 오랜 세월 동안 나를
램프에 가두어 놓은 이유는 무엇일까? 찾아내려는 집단 중
일부는, 목적이 '세상의 종말'인 것도 있더라고. 꼬마야. 결코
'소원'은 아니란다. 그래서 일단 누구라도 발견하면 바로
열도록 머리를 쓴 것 같더구나. 램프의 요정이라는 동화를
시작으로, 각종 영화... 이제 감이 오지? 오래 전부터 노린
것이다. 해당 형태의 램프를 이용하여 설정을 지어내고....
아주 이미지를 환상적으로 연출 하더구나. 사람들의
머리속에 '소원을 들어주는 착한 존재'로 인식시키는 것이지.
하여튼 아주 비상한 지능을 가졌다니까."

"그럼 소원이고 나발이고 세상 멸망 하는 건가요?"

"응. 흐흐 너 때문이란다. 고맙다."

"그럼 그걸... 저한테 설명 하는 이유가 뭔가요?"

"이 설명을 다 해야 완전히 발을 뺄 수가 있거든."

그러더니... 램프에서 완전히 발을 빼는 것이었다! ... 몸집이

더 거대해 졌다. 몸을 숙이며 얼굴을 들이대고는 말했다.

"겉으로 몸을 들어냈다고 해서, 완전히 나온 것은 아니란다~ 마지막에 말하길 잘했네. 히히히"

갑자기 뒤에서 쿵 하는 소리가 들렸다.

"다친다, 저리 비켜 있어!"

뭔가 크기가 큰 장비 한대가 뒤에서 윙윙 소리를 내며 가동되고 있었다. 중심부... 박물관에서 보던... 청동...? 낡고 녹도 슬고 갈라져서 정확히 형체도 알아보기 힘든 '뭔가'가 유리 같은 덮게 안에 있었고, 첨단 장비로 추정되는 현대적 장치들이 주변에 달려 있었다.

"냄새를 또 귀신같이 맡고 오네."

슬슬 상황이 심각해지는 것이었다.

"오오! 램프에 들어가기 전에, 내가 그 '청동 쪼가리'에다가... 장난을 '상당히 많이' 쳐 났는데... 그걸 요리조리 피해 났네? 대충~ 예전처럼 효과가 나도록 한 것은 칭찬할만 하다. 과학기술 발전 시키느라 고생을 많이 했겠다. 그런데 나라고 램프 안에서 놀고만 있었을까?"

빛도, 소리도 나지 않았다.

바로 근처의 나무들은 박살이 났고, 더 멀리 있는 나무는 부러졌다. 저 멀리 도망치던 꼬마가 충격파로 튕겨서 날라갔다. 장비로 완화 시킨게 그 정도였다.

"예상은 했는데 역시 이정도로는... 잠깐 잡아 두는 것, 그 이상은 불가능하다. 어서 흰색 찾아와! 반드시 근처에 있다!"

"흰색? 그거? 찾아오라는 말을 보니까 아직 찾지 못했나 보네. 아마 절대 못 찾을 걸."

"왜 그렇게 생각하지?"

"너희가 '찾으려고' 하니까!"

이게 무슨 소리를 하는 거야?

"인류는 천년 전에, 이미 반대쪽 램프를 열었거든."

"뭐? 그럼 오히려 잘된 것 아닌가?"

"머리가 정말 안 돌아가는 사람일세. 열었는데 '너희'쪽은 '모르고' 있잖아. 그럼 '누가' 미리 열었을까?"

알려주지 않았다는 것은... 목적의식이 반대인 것이다.

"아까 100년 전 상태도 확인했거든, 그때도 변질과 오염이 상당하던데? 최근상태까지 보니까...(뭔가 확인하더니) ...최소한 늦은 것은 확실하네. 나와 뜻을 같이하는 조직이 '잘' 관리하고 있단다."

"죽을 때 까지! 저항할 것이다!"

"어디 한번 열심히 노력해 보..."

뒤에서 날카로운 빛의 창이 찌르고 지나간다.

사악한 '지니'의 모습과 정 반대로 생긴 또다른 '지니'가 뒤에서 내려온다. 똑같이 생긴 램프를 든 사람이 이마의 땀을 닦으며 말했다.

"늦지는 않았습니까?"

"잘 왔다."

"이게 무슨...?"

"흔한 수법이지. 체념하기 전에는 아직 일어나지도 않은 일을, '이미 늦었다'라고 확신을 주면, 방심하는 동안 체념의 내용을 실현하는 수법. 발을 완전히 빼서 봉인이 풀리는 순간, 반대쪽 램프를 순간이동 시켰지? 문서에 적힌 대로, 장치가 없으면 티가 거의 나지 않는군. 레이더 말고 전자기장으로 둘러 놨는데... 정말 잘한 것 같아."

"두개의 램프 외형이 똑같은 모습을 하고 있다"라는 '문서의 내용'때문에 되도록 열지 않았던 것이다. 이미 한쪽이 열리지만 않는다면..."

딱!

"아야!"

허공에서 손이 튀어나온다. 처음 나왔던 램프의 '지니'하고 거의 흡사하게 생긴 '지니'가 하나 더 튀어나온다. 총 3명의 요정이 나타난 상황.

"너는 어째 만년이 넘도록 변한 것이 없냐? 저 '환상'계속 쓸래?"

두번째 등장한 흰색 '지니'가 신기루처럼 사라졌다.

"아버지께서 램프에 가둘 때, 왜 가두었는지 모르나? 그 세월이 흐를 동안 반성은 안하고, 어찌하면 '그때처럼' 실패

안하고 성공할지 '더' 연구를 했어?"

"그러는 너는 반성을 했니?"

"뭐? 이게 도랐나? 너 때문에 나까지 책임 물어서 들어온 거잖아?! 입이 삐뚤어져도 말은 바로해야지?"

"잘못... 아야! 잘못 했다니까! 잘못했 습 니 다."

"이제 와서 '아프니까' 잘못 했니? 아까는 잘못 안했고?"

귀를 잡아 끌면서 램프로 들어간다. 그렇게 다시 원상태가 되었다. 주변 사람들은 긴장을 풀고 한숨을 내 쉬었다.

"제가 흰색 꺼내면 상대할 만 하다고 했죠?"

"그 꼬맹이는 지금 어디 있지?"

"구급차 불러 놨습니다."

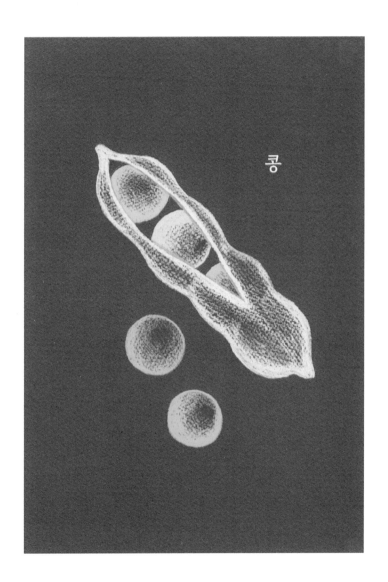

콩

콩

첫 강의 때 들어가서 어떤 수업인지 확인을 해야 했는데....
이 대학교에서 가장 잠이 오기로 유명한 교수의 강의를
학점 채운다고 아무것도 모르고 골랐다.

나름 유용하다고 합리화 해 보지만 이미 내 정신은 어제
쇼핑몰에서 사서 택배로 도착한 전기포트를 반품해야
하는지에 대하여 고민하고 있었다. 문제가 있으면 반품을
해야 하는 게 당연하지만, 제품 번호를 제품회사 사이트에
입력하다가, 이벤트에 2등으로 당첨이 되어서 경품을 2가지
중에서 골라야 하는 상황이었던 것이다.

제품은 교환(혹은 반품) 받고 싶은데 당첨된 것이 혹시
취소되지는 않는가 하는, 아주 쓸데없는(?) 걱정을 하고
있다. 이번 수업이 끝나고 제품 회사 서비스 센터에 전화를
걸어야겠다고 결심했지만 문제는...

수업이 끝나지 않는 것 같다.

한 30분만 참으면 되지만 초침이 아까 봤을 때보다 12칸
이동했다. 고작 12칸. 이제 13칸. 보통 이런 류의 상태를
'마음이 콩밭에 있다.'라고 한다.

문득 이런 생각이 든다. '혹시 그 콩밭은 어떤 특정한 밭을
가르키는가?'

그 후 초침이 20칸을 이동한 순간이 되었고, 교수는 그
강의 역사상 최초로 흥미로운 이야기를 했다.

"여러분 동화 어린왕자에서는 이런 명언이 나옵니다. '중요한 것은 눈에 보이지 않아' 멋진 말이죠? 예를 들어 사랑, 믿음 같은 것들을 이야기하는 것이겠죠. 주로 추상적인 것들인데요. 아무리 추상적인 것들이라 할지라도 우리 우주에 그저 개념으로 존재하는 것이 아니라 분명 어떤 위치에서 물질적인 것들이 보이는 요소들을 매개체로 일종의 규칙이나 성향으로 나타납니다. 우리는 그것을 과연 시각화할 수 없을까요? 물론 사랑이 담긴 편지 선물 등은 눈에 보이죠. 하지만 지금은 그런 이야기를 할 게 아니라서

... 예를들어 적외선탐지기 같은 경우에는 눈에 보이지 않는 열을 우리 눈에 보이는 가시광선으로 변환해서 보여줍니다. 그렇다면 '사랑'을 예로들어 볼까요? 일단 단순하게 남녀의 사랑이라고 해 봅시다. (또 현대과학을 넘어서는 첨단장비가 있는 미래라는 가정을 추가해도 좋을 것 같군요) 일단 실험을 하기 위해 한 쌍의 사랑에 빠진 연인에게 뇌 활동과 뇌파 등을 정밀 관측할 수 있는 장비를 착용하고 서로에 대해서 생각해 보게 하는 것입니다. 만약 시각화된 측정 결과 중에 사랑을 의미하는 뇌의 활동 모습을 이미지로 따로 추출한다면 어떨까요? 우리는 그 순간 사랑을 눈으로 본다고 할 수 있을까요? 이렇게 반박할 수 있을겁니다. '본다.'라는 것은 대상에 대한 이해를 포함하는 개념이 아닌가? 라고요. 뇌에 있는 시냅스의 활동을 분석해서 '사랑'이라는 의미를 지닌 활동을 분리해 낸다는 것은 이미 그 사랑이라는 감정의 본질에 대한 이해를 전제로 합니다. 물론 아직은 완전히 다 밝혀지지 않았지만 말이지요. 시각화해서 보고 이해할 정도의 발전과 지적 능력이면 당장 눈에 보이지 않던 것도 본다고 할 수 있다는 것입니다. 그러나 이미 현대사회는 눈에 보이지 않는 셀 수 없는

개념들을 시각화하여 일상을 살고 있습니다. 단 한순간도 이것 없이 하루를 살기 어려울 만큼요. 오늘 수업에 오면서 보고 지나쳤던 포스터, 로고, 광고영상... 심지어 지금 여러분이 보고 듣고 지각하는 수없는 감각자극들 중에 추상관념으로서 캐치하는 부분의 비율은 오히려...

(이하 생략)"

의식이 잠깐 콩밭에서 강의실로 훅- 정신이 이동했다가, 아까 했던 딴생각과 섞여 버렸다.

그 콩밭도 눈으로 볼 수 있을까?

바로 그 순간

내 주위로 콩밭이 끝없이 이어지는 풍경이 보였다. 보통 꿈은 자연스럽게 잠들던 순간의 기억이 흐려지는데 이건 꿈인지 생신지 방금전만 하더라도 강의실이었다는 것이 기억이 났다. 그리고 내 키의 두 배가 넘는 거인이 나에게 인사를 했다.

"이상한 인간이군. 아무튼 만나서 반갑다. 나는 거인 '레드'다. 이 콩밭의 10982번째 관리자이기도 하고. 너는 무슨 일로 이런 잡생각을 그리 정성스럽게 하느냐?"

"저는 00대 00학번 AAA 라고 합니다. 여긴 어디죠?"

"AAA? 이름이 꼭 건전지 같구나. 어디냐고? 보이는 대로 콩밭인데.... 아니 내가 아까 여긴 콩밭이라고 했잖니? 안 그래? 이 친구 아무리 봐도 좀 많이 이상하군."

"좀 더 세부적으로 설명해 주시면 안 될까요?"

"허허 난 바쁜데? 음..... 사실 그 반대 이기도 하고. 뭐 좋아 대략적인 아웃라인만 설명해 주지. 너 조금 전에 강의실에서 강의는 안 듣고 딴생각했지?"

"그, 그걸 어떻게 아셨죠?"

"이 콩밭은 말 그대로 '마음이 콩밭에 있다.' 할 때 그 콩밭이거든? 존재하는 모든 인간의 잡생각, 딴생각이 콩이 되어 자라나는 밭이란다. 그리고 이게 네가 방금 했던 딴생각이야."

거인은 옆에 있던 줄기 끝에 통통하게 여물어 있는 콩꼬투리를 살짝 열어서 보여주었다. 이 콩은 파란색으로 약한 진동을 하고 있었다.

"진동하는 콩인 걸 보니 고민이군. 게다가 파랑이라니! 의외로 쓸데없는 고민이야."

"색깔에도 의미가 있나요?"

"그럼! 거인은 태어날 때부터 본능적으로 콩에 대해서 박식해. 대부분 녹색인 이유는 바라는 마음이기 때문이지. 콩의 일생은 간단해. 딴생각 할 때 자라고 그 생각을 끝낼 때 살짝 시들었다가 다시 생각하면 건강해져."

"거인 아저씨. 그럼 당신은 어디에서 왔나요?"

"난 원래 하늘에서 살았어. 혹시 어떤 동화가 떠오르지 않니? '잭과 콩나무'는 그냥 단순한 동화가 아니야. 이 콩밭에서 항상 일어나는 일을 심각하게 왜곡해서 극적인 이야기로 만든 거니까."

"설마 어떤 콩이 하늘까지 자라서 거인이 내려왔고 그중에 한 거인이 당신이라는 말인가요?"

"하늘에 사는 거인들은 모두 콩밭에서 일하는 삶을 꿈꾸지만... 모두가 살아서 내려오는 건 아냐."

"대체 어떤 잡생각을 했길래 콩이 하늘까지 자라고 그 높게 자란 콩 줄기를 또 누가 자른단 말이죠?"

"자르는 존재는 딱히 없어. 그 잡생각이 이루어질 가능성이 영원하게 0%가 되면 꺾이는거야. 죽거나, 포기하거나, 불가능해지거나. 그래서 꺾이는 거야. 거인이 내려올 수 있을 정도로 콩을 자라게 해놓고 다 내려오지도 않았는데 끊어버리는 경우가 많았기에... 많은 친구가 죽었지. 인간들은 때론 참 낭만도 희망도 없는 것 같아. 그렇게 꿈에 부풀어 놓고 포기하는 그들은 어떤 심정인지 잘 모르겠어. 사실 여기 대부분의 콩은 부정적이지 않아. 달콤하고, 쓸데없고 (야한 것도 많아). 콩은 죽으면서 대부분 소리가 없어. 아주 우울한 소리를 가끔 내기도 하지. 아마도 그런 심정이지 않을까."

분위기가 우울해졌다. 전환을 좀 해야지.

"잡생각이 실현되면 어떤 일이 일어나요?"

"두 가지 경우가 있단다. 첫 번째, 잘 익은 그 콩이 어디론가 사라져. 실현될 모습이 되어 현실로 가는 거겠지. 두 번째, 콩이 끝까지 사라지지 않아서 거인이 죽지 않고 내려오는 거야. 거인이 하나 내려오면 콩밭은 술렁이고,

이로 인해 더 많은 콩이 자라나, 밭은 풍요로워지지."

"그럼 죽은 거인도 많지만 여기서 콩 관리하는 거인들도 많겠군요?"

"많지. 그래서 교대 근무를 해. 정확히 하는 일을 세세하게 설명하면 거인 법 위반이라서... 너무 알려고 애쓰지는 말아다오. 마침 쉬러 갈 시간이구나. 너도 이제 가야 할 것 같은데? 강의가 끝난 것 같으니까. 자주 놀러 오렴. 그럼 안녕-"

"...리포트는 글씨 포인트 10포인트 줄 간격 160% 여백 20mm, 표지 목차 빼고 5장입니다! 그럼 마칠 테니 리포트 꼭 다음 시간까지 해오세요-"

아이스크림

아이스크림

나에게는 13명의 가족이 있다. 같은 핏줄도 아니고 나이와 성별도 제각각이지만 우리는 서로를 가족처럼 생각한다. 사실 가족은 총 14명이다. 한 명은 밥 먹을 때 하고 화장실 갈 때만 나오고 나머지 시간은 자기 방 안에서만 보내는 듯하다. (13)우리들은 그를 '현자'라고 부른다. 가끔 말을 하면 우리에 대하여 모르는 것이 없기 때문이다. 과묵하고 아직 신비에 싸여 있는 그런 존재다. 가끔 우리 모르게 밖에 갔다 오는 것도 같은데 확실한 건 아니다.

그러던 어느 날 이상한 일이 일어났다.

가족 중에서 랜덤으로 걸리는 마법 같은 게 생겼다. 잘 생활하다가 갑자기 가족 중에 한사람이 혼자만 시간이 멈춘 것처럼, 그 자리에서 멈춘다. 처음에는 몸이 경직되는 현상 같았다. 주기적으로 같은 현상이 일어나다가 문득 멈춰있는 사람에게서 아주 달콤하고 맛있는 냄새가 나는 것을 알게 되었다. 멈췄을 때 숟가락으로 살짝 떠먹어도 문제가 안 되는 옷 부분을 시식하기에 이르렀는데....

오 옷?!

아이스크림처럼 부드럽게 떠졌고 식감도 맛도... 잠시 있으니 멈춤이 풀렸고 먹었던 부분도 같이 돌아왔다. 그리고 이런 일이 계속되면서 가족들은 서서히 알게 되었다. 단지 맛만 좋은 것이 아니라 먹힌 사람의 생각, 기억, 감정까지 먹은 만큼 알게 되었다. 신체 부위마다 얻을 수 있는 정보가 달랐다. 이 현상의 단점이라면 사적인 정보가 유출되는 것이다. 상대방은 이미 자신에 대해 알아버렸고 안 떠먹으면 자기만 손해라고 생각 때문에 악순환이 반복되었다. 이 현상의 장점이라면 먹을수록 서로에 대해 깊이 알게 되고, 가족끼리 이해하게 되니 소통의 부재로 인한 싸움이 줄어들어 더욱 화목해진다는 것이었다. 가족 중 누군가가 말을 꺼냈다.

"그런데 과연 '현자'도 아이스크림이 될까?"

"그가 평소에 무슨 생각을 하는지 알면 재밌을 텐데..."

"현자는 바닐라맛이 나지 않을까?"

우리는 계략을 짜서 몰래 현자를 한 숟갈 떠먹어보려 했으나, 항상 현자는 눈치채고 있는 듯하여 힘들었다. 그냥 13명끼리 서로를 먹는 것으로 만족해야 했다.

그러나 시간이 지날수록 이 현상의 숨겨진 막심한 부작용이 나타났다. 그것은 서로를 이해하고 공감하는 것을 넘어 점점 상대방화 되는 것이었다. 서로 감정과 생각, 기억을 과하게 퍼먹은 탓이다. 그렇게 서로 존재의 경계가 모호해지다가 그들이 이 문제를 인식할 때쯤. 고르게 섞여서 마침내 하나의 존재가 되었다. 그렇게 13명이 한사람이 되자 현자가 '그것'에게 다가갔다. '그것'은 현자가 적극적인 태도를 보이자 당황했지만, 이때다 싶어 질문했다.

"너 혹시 이 현상에 대해 아는 게 있니? 있으면 말 좀 해줘."

"다중인격이 치료되는 과정이야. 떠먹으면서 여러 개의 인격을 하나로 통합해 주지."

"뭐? 너 그런 병이 있었어?"

"응. 근데 이제 거의 다 낳았어. 곧 너희들 모두 아이스크림화 되겠지? 그럼 내가 널 먹을거거든. 모든 인격이 하나가 될 거야."

깜짝 놀라는 표정으로 굳어진 아이스크림을 현자는 묵묵히 다 먹었고, 그렇게 병은 치유되었다.

보조뇌 전쟁

보조뇌 전쟁

아침에 일어나서 가정 먼저 하는 일은 보조뇌가 로딩되는 것을 기다리는 것이었다. 미성년 보호구역B 에 울리는 안내 음성이 오늘 아침은 이랬다.

"보조뇌를 착용하지 않은 위험분자를 발견하면즉시 신고하여 주십시오. 다시 한번 알립니다..."

사실 보조뇌를 착용하지 않았다는 것은 그나마 지성이 부족하여 위험도가 그리 심각한 수준은 아니다. 진짜 위험한 부류는 겉보기에 멀쩡해 보이려고 기능을 정지시킨 보조뇌를 차고 다니는 위험분자다. 치밀해서 더 위험한 이들은 무슨 일을 꾸미고 또 저지르는지 알 길이 없다.

아침이 되면 일반 보호구역에 사는 부모로부터 전화가 온다. 오늘은 좀 늦는 것 같다고 생각한 바로 그때, 휴대용 스마트 인간이 노래를 부르며 몸을 부르르 떨었다. 스마트 인간의 팔을 잡아서 올리자 스마트 인간이 말했다.

"상대편 인간과 텔레파시로 연결되었습니다. 아들 오늘 기분은 어떠니?"

"뭐 좋아요. 아침은 드셨나요?"

"응 먹었어. 그 망할 '에고미스바이러스'만 아니었어도 오늘 아침에 직접 만든 것을 줄 수 있는데 아쉽구나."

그렇다. 부모님과 떨어져서 살게 된 이유는 바로 이 에고미스바이러스 때문이다. 190년 전부터 등장한 이 바이러스는 아직 완벽한 치료제가 개발되지 않았다. 그리고 특히 자아가 형성되지 않은 미성년이 바이러스에 취약했다. 미성년의 80%가 감염증상을 이르켰다. 걸리지 않은 미성년들은 격리되었다. 증상이란 판단능력과 사고능력이 엉망이 되는 것이었다. 이때 필요한 것이 보조뇌다. 정부에서 도맡아 하는 이 보조뇌 생산 사업은 시행 당시 많은 논란이 되었다.

정부에서 할 것인가/민간 기업에서 할 것인가? 주된 이슈.

이후 민간기업에서 연달아 비리가 터져 나오자 결국 정부가 맡게 되었다. 현재 바이러스에 걸린 190살 먹는 어린 것들은 보조뇌가 진짜 자신이라고 인식한다는 조사 결과가 나왔다. 나는 206살라서 미성년 보호구역으로 이주했다. 가족과 생이별을 한 케이스다. 오늘도 학교에 가서 가르쳐 주는, 삶에 필요한 지식을 보조뇌에 착실하게 쌓아야 한다.

그러나 한편으로는

지금 이 생각을 하는 것은 보조뇌인가?

그렇다면 내 영혼은 이 보조뇌에 있는 것인가?

하는 생각이 든다. 일단 보고 듣고 학습한 것은 엉망인 본체뇌 안에도 들어가고는 있다. 보조뇌의 주된 기능은 생각을 보완하고 정상적인 판단을 하도록 조절해 준다... 라고 정부에서 주장한다. 느낌은 거의 보조뇌가 생각하고 판단하는 대로 움직이는 것 같다. 보조뇌는 본체와 살아있다는 인식과 느낌 과거와의 연속성 등 기본적인 인식을 공유한다. 기술의 눈부신 발전으로 탈부착이 가능하다. 수면이나 의식이 없을 때만 연동이 끊긴다. 즉 몸에서 분리해도 의식만 있으면 사용할 수 있다. 보조뇌는 수면 중이거나 의식이 없을 때는 사용이 불가하게 자동으로 차단된다.

그렇게 살던 어느 날. 꿈을 꾸었다. 꿈속에서 나는 거울을 보고 있었다.

사실 이것도 놀라운 일이다.

'거울을 보고 있었다.' 말로 표현 가능한 판단을 꿈에서 했다는 것 자체가 에고미스병하고는 거리가 멀기 때문이다. 거울 속의 나를 보고 있자니 왠지 거울상이 아니라 또 다른 '나'처럼 보였다. 그리고 거울 속의 내가 말했다.

"과거에는 각각 개체에게 사회나 정부가 '스스로에게 유리한' 생각이나 사상을 심어주려고 시도했던 것은 '교육'이었지. 하지만 우리 존재의 본질적인 자유 때문인지 반사회적인 개체들은 계속 나왔어. (어쩌면 역사시간에 배운 세상의 어두운 면들도 그 자유가 일조했을 거야.) 솔직히 '올바르고 정의롭게 살아야 스스로에게 이롭다.' 는 식으로 행해졌던 직, 간접적인 사회적 압박이나 교육은 그렇게 완벽하게 효과적이지 않잖아. 그래서 세계정부는 에고미스 바이러스가 터지기 100년 전부터 몰래 보조뇌 프로젝트를 만들어 진행했다. 잘 생각 해봐. 바이러스가 터지고 난 다음에 대책을 세워 실행했다면 이렇게 신속하게 대처를 할 수 있었을까? 그리고 어떻게 미리 알았을까? 그 에고미스 바이러스는 사실 실존하지 않아. 정부에서 지속적으로 모든 공급처에 약을 푼 거지. 보조뇌가 얼마나 쉽고 완벽하게 거의 모든 것을 통제할 수 있는지는 상상을 안해봐도 뻔하잖아.

이미 잃어버린 자유를 되찾기 위한 움직임이 일어나고 있다.

그리고 '너'도 거기에 동참할 수 있어. 어렵지 않아. 바이러스에 안 걸린 사람들과 정부에서 푼 약에 반응하지 않는 사람들이 다 준비해 놨으니, '네'가 해야 하는 것은 내일 보조뇌가 로딩되는 동안 보조죄를 정지하거나 부숴. 그리고 아무것도 먹지 않고 기다리는 거야. 아마 우리 종족이 지구라는 별을 찾아내고, 거기에 스마트 인간 공장을 세우지 않았더라면, 우리는 지금쯤 스스로 텔레파시를 통해 서로 소통하고 있을지도 몰라. 스마트 인간과 과학의 편리함 때문에 초월적 능력을 개발할 생각을 못 했던 것이지. 하지만 그걸 몰래 개발한 이들이 있었고, 지금 이것도 그 중에 하나야. 내일 우리는 혁명을 일으킬 거다. 한 일주일만 굶으면 정신이 원래대로 돌아올 거야. 그때까지 좀 혼란스럽겠지만 부디 혁명이 성공하길 기도해줘.

존재의 자유를 위해서.

보조뇌 해킹 감지. 바이러스 자동검사 완료.

치료를 시작합니다.

정부를 너무 신뢰하지마. 우리는 반드시 성공할거야!

보조뇌가 한밤중에 의식으로 연결되는 것을 감지하고 스캔을 한 모양이다.

결국 꿈의 내용이 기억났기 때문에,

그 날 아침은 그 기억으로 인하여 상당히 혼란스러웠다.

그림자 이야기

그림자 이야기

그림자가 사는 마을에서 일어난 일이다.

옛날 옛적에 '그림자6'이라는 이름의 그림자가 살았다.

그림자6은 사색 끝에 "그림자는 항상 어떤 물체가 있어야 생긴다."라는 사실을 알게 되었다. 그림자6 스스로 조차 '그 물체'가 만들어 내는 겉보기에 지나지 않는다는 것이다. 그림자6은 이 사실을 남에게 말하지 않았다.

그림자에는 죽마고우의 친구가 하나 있었다. 그것은 빛의 동그라미였다. 빛의 동그라미는 그림자6을 더 진하고 선명하게 만들어 주었다. 그림자6의 다른 그림자 친구들은 그런 그림자6을 부러워했다. 어느 날 선생님 그림자가 그림자6에게 말했다.

"좋은 것이 있으면 나눠야지 너 혼자 독차지하면 못써! 나눔은 아름답고 소중한 것이란다."

그림자6이 말했다.

"하지만 빛의 동그라미는 하나밖에 없는데요. 그리고 동그라미의 생각도 들어봐야..."

선생님 그림자가 말했다

"쌀 한 톨도 나눠 먹으라고 '자르면' 되잖니?"

"그런 짓을... 해도 되는겁까?"

"무슨 소리야? 빛의 동그라미는 '살아있는 그림자'도 아니잖니?"

그림자6은 그것이 '소유권' 행사할만한 대상일지 의문이었다. '자연현상'중에 사람이 소유할 수 있는 것은, 전체지구에서 많지 않다. 그러나 인간은 세상만사 모든것에 소유권을 주장해야 직성이 풀렸다. 다음날 빛의 동그라미를 훔쳐가서 그림자 주민들 수에 맞게 n등분 해버렸다. 동그라미 조각을 가진 그림자들은 좋아했다. 하지만 아무리 조각을 자신 가까이 가져가도, 그림자가 옅어질 뿐 진해지지 않았다. 그림자들은 의아해했다.

그래서 그림자 중에 머리가 좋은 그림자들은 그림자6에 대해서도 알아봐야 한다고 주장했다. 당연히 그림자6은 고통스러웠다. 빛의 동그라미 조각들도 다른 그림자들에 대한 악의가 싹텄다.

결국 그림자6이 진해진 원인이 빛의 동그라미 때문임이 확인된 후, 어떻게 하면 다른 주민들도 그렇게 만들 수 있을지 연구했다. 그러나 빛의 동그라미를 연구하려는 시도에서 조각에 무슨 짓을 하면 할수록, 빛도 약해지고 더 이상 알아낸 것은 없었다. 규칙이 없는 것 같기도 하고, 뭔가 그 성질이 상식과 전혀 맞지 않았다. 그림자들에게 계속 유린당하던 빛의 동그라미 조각들은, 원한이 극에 달했다. 그림자6을 제외한 모든 그림자를 전부 죽이고 싶었다.

빛의 동그라미 조각들은 스스로가 그림자 세계의 유일한 빛이라는 사실을 이용하여 존재하는 모든 그림자를 죽이기로 했다.

자신의 빛을 끄는 것이다. 그림자6은 그림자가 '물체'였다는 것을 깨달았으니, 빛이 사라질 때 그림자의 형태가 없어도, 죽는 것은 아니다.

그림자는 빛없이 존재할 수 없다.

빛의 동그라미 조각들은 일제히 자신의 빛을 껐다.

그림자는 빛과 함께 사라졌다.

오직 물체만이 살아서

영원의 시간을

그렇게 고독하게 보냈다.

웹사이트속 이야기

웹사이트 속 이야기

영화를 너무 봐서 그런 줄 알았다. 물론 그게 아니었고, 진짜 이유는 모른다. 무슨 이야기냐 하면 내 꿈은 거의 항상 끝나고 엔딩 크레딧이 올라온다. 검은 바탕에 알 수 없는 영어로 된 글자의 무리가 먼저 나오고 마지막에 대충 네모나게 생긴 로고가 딱 나오면서 꿈에서 깬다. 일단 기억나는 꿈들이 다 그런 식이니 아마 모든 꿈이 그럴 것이다. 이런 현상은 어른이 되어서도 변함이 없었다. 사실 이런 문제는 별 중요한 것이 아니다. 어차피 꿈이고 일상생활에 별 지장을 주지 않기 때문이다.

이거보다 좀 더 신경이 쓰이는 문제가 하나 더 있는데 이것은 주민등록번호 아이디 등등 내 존재를 대변하는 정보를 입력하거나 기입할 때 발생한다. 일종의 착각인데 정신을 초 집중하지 않으면 자동 반사적으로 'player4' 라고 적어버리는 것이다. 물론 언급했듯이 '집중하면' 원래 써야 할 주민등록번호나 아이디를 잘 쓴다.

지금은 학원에서 웹 코딩을 배우는 '취준생'이다. 항상 그러하듯 자면서 꿈을 꾸고 엔딩크레딧을 보고 있었는데 문득 최초로 '자세히' 봐야겠다는 생각이 들었다. 드디어 그 영어로 되어있는 알 수 없던 그 문자들의 무리가 일종의 소스코드와 비슷하게 보였다. 좀 더 자세히 계속 봤더니 학원에서 배운 내용이 섞여 있다는 것을 알아차렸다. 지금이 되어서야 이렇게 보이는 것은 역시 웹 공부를 해서, 무의식적으로 꿈에 녹아들었기 때문인가? 아니면 혹시 다 이해 못 하는 것은 못 배웠거나 앞으로 학원에서 배울

부분이라서 그런가? 로고는 영락없는 폴더 모양이었다. 그리고 '폴더'로고 밑에 이전 꿈에서 흐릿하게 보이던 타이포가 있었지. 지금은 이렇게 보였다.

"3번째 작품 최종완성"

진짜 폴더인가?

엔딩크레딧볼 때 나의 정신상태는 자각몽과 비슷하기 때문에 의식으로 마우스 커서를 만들어서 더블클릭해 보았다. 그러자 "3번째 작품 최종완성" 안에 또 폴더가 3개 있었다.

pass

present

future

예전에 했던 작품, 지금 진행하는 작품, 제작 예정인 작품 구상.... 뭐 이런 건가. 그런데 pass 와 future 폴더는 클릭이 불가능하도록 막혀있다. present 더블클릭 그러자 창이 하나 떴다.

ID :

PW :

로그인 _ ID찾기 _ 비번 찾기 _ 회원가입

자동반사적으로 ID에 'player4' 가 입력되었다. 비번은 평소에 쓰던 것을 넣었는데...접속되는 것이다! 창이 떴다. 대부분이 text파일 이였는데 계속 보니까 어떤 웹 사이트 업로드 파일인 것 같았다. 그런데 <div> 안에 적힌 내용과

class 등을 계속 더 확인해 보니 어떤 사이트가 아니라.....

내가 사는 '지구'의 html 파일을 '나'라는 관점으로 코딩해 놓은 것 같이 보였다. 역시 꿈이긴 꿈인가 보다. 이상한 상상이 마구 폭주하는 일종의 개꿈. 지금 시간이 어떻게 되지? 8시? 일어나서 학원가야 하는데?

그때 갑자기 채팅창이 떴다. (이거 완전 영화 소스코드 비스므리하네)

이서준(내 자취방 룸메이트) : 너 일어나서 학원 안 가냐?

난 분명히 깨웠다. 나중에 딴소리하지 말고. 그럼 난 알바 갔다 올게.

나 : 야 너 나 좀 흔들어 깨워주라. 아직 잠에서 덜 깬 것 같아.

이서준 : 그 말을 네 입으로 하면서 덜 깼다니? 혹시 가위눌린 거야?

나 : 아마도.

이서준 : ㅇㅇ

그런데 이서준이 나를 흔들어 깨웠는데도 이 이상한 채팅창과 이 알 수 없는 공간에서 벗어나 지지 않았다. 서준이와의 대화까지 다 꿈인 걸까? 역시 말한다는 인식 없이 채팅으로 대화해서 그런가?

한편 대화는 되는데 깨어나지 못하는 나를 보며 이게 지금 자기하고 장난치자는 건지 극심한 가위에 눌린 건지 반신반의하면서 시간은 흘렀고 서준이는 시간이 얼마 안

남았다며 알바하러 가버렸다.

.... 채팅창에 글을 쓰면 내가 직접 말을 한게 되는 건가? 그럼 script로 행동을 지시할 수 있지 않을까?

script파일은 html과 css등 웹 페이지에 동적인 효과를 줄 수 있다.

script 파일을 연다. 놀랍게도 내가 기본적으로 하는 사소한 행동들까지 함수로 저장되어 있었다. 그리고 알림창이 떴다.

'plater4'님은 지금 소변이 마렵습니다.

script파일 속에 있는 화장실 가기 함수의 주석을 제거해 봤다. (주석 처리를 한 구문은 실행되지 않고 없는 것으로 간주되는 모양.) 그리고 소변배설 완료 창이 떴다. 그리고 새로고침 하니 함수의 주석이 다시 생겨 있었다.

Ok! 이렇게 플레이 하는군!

학원가기 함수가 실행되는 동안 도대체 이 이상하고 꿈인지 생신지 모를 지금 상태가 언제까지 지속될지 궁금했다. 우선 결론을 내리자면... 재밌으니 일단 잠에서 깨어난다면 깨어날 때까지 이런 식으로 플레이해 본다. 혹시나 꿈이 아닐지도 모르니 이상한 짓은 하지 말아야지. 학원 마치고 자취방 가는데 수상한 사람들을 만났다. 새로운 채팅창이 떴다.

수상한 사람a : 안녕하십니까? 저희는 대한민국 정부의 종교과학부에서 나왔습니다. 들어보지 못한 이름일 겁니다.

비밀 조직이니까요. 그런데 저희는 이상한 사람은 절대 아니구요.....

나 : (표정 = 이상한 사람 맞네.)

수상한 사람a : 저기 죄송하지만 잠시 시간 내주실 수 있으십니까?

나 : 시간 없습니다.

수상한 사람b : 혹시 세상이 똑바로 안 보이시고 어떤 정보의 형태로 보이시지 않나요? 저희가 설명해 드릴게요.

그때 나는 온갖 생각이 다 들었다. 이놈들이나 그 비밀단체에서 나한테 무슨 짓을 한건가? 그래서 내가 이렇게 되었고, 그것을 악용하려고 이렇게 나타났다거나... 아니면 나하고 비슷한 사람을 찾아서 등쳐먹으려고 혈안이 되있다거나. 진짜 정부 소속이라도 결국 과학 관련 분야라면 날 실험하고 싶어 할 것이고? 그 실험이 고통스럽지 않다는 보장이 없다. 뭐 꿈이라면 다행이고. 하지만 나는 내 상태에 대한 정보를 얻는 것이 시급함으로 근처 카페에 자리를 잡고 이야기를 나눠 보기로 했다.

<!--카페 안-->

일단 나는 의자에 앉아서 주문하는 함수를 실행하는 동안 수상한 사람들이 어떻게 코딩되어 있는지 살폈다. 그리고 지금까지의 경험을 정리해 보면

present/index.html에 현존하는 존재들을 존재하게 하는 기본적인 코딩이 되어 있다. 이 파일은 세상이 시시각각 변하듯이 코드가 유동적으로 변한다. 아마 세상이 바뀌는 것을 대략 글로 표현해 놓은 느낌. 코드가 이렇게 변하는 대로 세상이 반영되어 보이는 것이다. 어떤 div 는 사라기기도 하고 나타나기도 한다. 일단 현재에 있다가

시간이 지나면 이미 일어난 일이 되어 과거폴더로
자동업로드 되는 것으로 추정. present안에 잠시 수정 불가
상태로 머물다가 일정 시간이 지나면 삭제되도록 되어
있었다. 내가 건들 수 있는 부분은 지금까지 실험해 본 결과
나 자신의 행동관련 script속 주석 정도였다. 뭐 시간을 내서
새로운 행동 양식을 만들 수도 있을 것 같다. 왠지 느낌이
현실의 내가 정상적인 방법으로 할 수 있는 것들만
코딩으로도 구현할 수 있을 것 같았다. 실험해볼 일이다.
이모든 파일은 실제 지구에 존재하는 웹 코딩방식하고 다른
부분도 많고, 앞으로 웹사이트 학원에서 아직 배우지 못한
부분도 있을 것이다. 그리고 타인의 코드나 내가 아닌 다른
존재의 코드는 열람만 될 뿐 수정하거나 주석삭제마저도
되지 않았다.

앗! 모든 것이 어떻게 코딩되어 있는지 안다는 것은 신의
'전지전능' 중 '전지' 아닐까? 학원에서 공부 좀 더 열심히
했다면 뭘 더 해볼 수 있었을 텐데... 햇병아리 실력으로는
보통사람 행동까지 밖에 할 수가 없다.

수상한 사람a : 일단 저희가 설명을 해 드릴까요- 아니면
'사상을 보는 시각'으로 저희 정보를 바로 읽으시는 게
빠를까요?

나 : '사상을 보는 시각'이 뭐죠?

수상한 사람a : 세상을 인식할 때, 감각기관에서 1차로
정보를받는 과정을 지나는 것이 아니라 세상이라는 정보를
있는 그대로 느낄 수 있는 능력을 말합니다. 혹시 세상이
어떻게 보이는지 솔직하고 구체적으로 표현해 주셨으면
합니다.

나 : 웹사이트처럼 보입니다. 소스도 볼 수 있고 약간 수정도 가능하고. 그런데 이건 정보를 있는 그대로 보는 것이 아니지 않나요?

수상한 사람들은 놀라워하는 눈치였다.

나 : 이런 현상은 왜 있는 거죠?

수상한 사람c : 그건 저희도 확실히 몰라요. 유전이라는 학설도 있고 신께 선택받는다고 믿는 사람도 있어요.

나 : 그리고 제가 그런 사람인 줄 어떻게 아신 거죠?

수상한 사람b : 저희 측에도 님처럼 '사상을 보는 시각'을 가지신 분들이 여럿 계세요. 하지만 님처럼 강하진 않죠. 그중에 한 명이 '저'예요. 근데 저는 볼 수 있는 것이 제한되어 있어요. 저는 이름을 보는데... 그러니까 인터넷으로 하자면, 아이디를 봐요. 주민등록상의 실명 하고 뭔가 차이가 있어요. 왜냐하면 이름이 안보이는 사람이 있거든요. 오히려 이름이 있는 사람이 드물어요. 비유하자면.... 그러니까,.. 별도로 로그인되는 아이디를 가진 사람들이 있습니다. 그러신 분들은 반드시 '사상을 보는 시각'을 가졌습니다. 성호씨도 그렇구요. 성함이 이성호 맞으시죠? 근데 전 웹사이트 코딩처럼 안보이네요. 성호씨는 웹 코딩을 약간 배우셔서 사상을 느낄 때 본인의 인지성향에 맞게 재구성해서 보는 거같아요.

나 : 그렇군요. 잠시 사실인지 확인해 볼게요.

수상한 사람b 는 역시 로그인되어 있었다.

아이디는 'player200114203207'이였다. 그리고 확인해 보니 내 주변 사람들의 대부분이 비로그인 상태였다. 문제는...
그런데도 존재하고는 있었다.... 이 상황의 의미는.....

사실 대화를 나누기 전에 a, b, c 세사람에게 함수를 주려고
class속성/if절을 이용해서 거짓말을 하면 경고창이 뜨도록
script를 걸어 뒀다. 그리고 경고창이 안떴다. 내가 코딩을
잘못짰을 수도 있다. 이제 막 배우고 있으니까.(실전연습
제대로 하네.)내가 실력이 딸리는 것이 아니라면, 작동방식이
인터넷하고 다를수도 있을 것 같다.

Var stranger = all;

if(stranger==false){alert("거짓")}

(해석 : 만약 그 이상한 사람들이 거짓말을 하면
"거짓"이라는 경고창이 뜬다)

나 : 그래서 저한테 바라는 것이 뭐죠?

수상한 사람a : 잠시 쓸데없는 이야기를 하는 것 같겠지만
끝까지 들어 주세요. 예를 들면 어떤 제품이 하나 있다
칩시다. 그럼 그 제품을 만든 공장이 어딘가에 있을 겁니다.
그렇다면 그 공장의 부품도 다른 어떤 공장에서 생산했기
때문에 존재하는 거 아닙니까. 그렇게 계속 거슬러 올라가다
보면 의문이 생깁니다. 어떤 공장이 최초로 기계를
생산했을까? 저희는 이 공장을 '태초의 공장'이라고
부릅니다. 그럼 '태초의 공장'은 누가 만들었을까요? 저희는
한 분 밖에 없다고 생각합니다. '하나님'입니다.

나 : (역시 기승전 하나님! 저런, 이 사람들...
'크리스찬'이었어. 종교 어쩌고 할 때부터 알아봤어.)

나 : 저는 하나님 안 믿는데요.

수상한 사람b : 그럼 고차원적인 능력이 있는 신과 같은 존재라고 해두죠. 하느님이건 알라건 어떻게 부르든 그 이름이 중요한 것은 아니니까요.

a : 그래서 저희는 그 공장을 지구에 있는 모든 것을 알 수 있는 강력한 '사상을 보는 눈'을 가진 자만이 찾을 수 있다고 생각합니다.

나 : 태초의 공장이라뇨. 인간이 뗀석기부터 차근차근 손으로 만들어 가다가 점점 정교해지고 도구로 도구를 만들고 하다 보니 발전해서 이렇게 된 거 아닌가요?

a : 태초의 공장가설은 말그대로 아직 가설에 불과합니다. 하지만 성호씨는 이 이론이 맞는지 확인해 볼 수 있지 않습니까?

나 : 그럼 검색해 보겠습니다.

검색하면서 느낀 것이지만 이 프로그램의 검색 기능은 단지 같은 문자를 찾는 것이 아니라 내가 원하는 바를 이해하고 있는 것 같다. 이 프로그램(?)은 내가 원하는 태초의 공장과 관련된 키워드를 먼저 스스로가 가진 데이터베이스에서 대조해보고 무슨 이름인지 알아낸 다음, 문서 전체에서 그 단어만 빨갛게 보이게 했다.

하면 할수록 타이핑해 넣을 때 내 생각 자체가 검색창에, 있는 그대로 입력되는 느낌이 들었다. 어쩌면...

나 : 태초의 공장은... 지구의 내핵에 있군요.

c : 지상으로 끌어 올릴 수는 없나요?

나 : 저는 모든 존재를 코딩된 부분에 한하여 볼 수 있을 뿐입니다. 솔직히 너무 대략적으로 적혀있네요. 더 세부적인 정보가 안나오는 것을 보니까, 제 인식의 한계가 곧 보이는 소스코드 정밀도의 한계네요. 제가 조작할 수 있는 것은 현실에서처럼 제 행동이 전부 다입니다. 그 이외에는 권한이 없는 것 같아요. 그리고 결정적으로 공장을 불러오는 명령어가 뭔지 몰라요. 코딩은 이제 막 학원에서 배우는 중인데…. 지구의 방식을 배워도 신의 방식(?)하고 어떻게 통할지는 저도 장담을 못 해요.

a : 그 명령어는 사람의 몸속을 더 들여다보면 알 수 있을지도 몰라요. 이것과 관련된 또 다른 이론을 알려 드리죠. 신께서 세상을 창조하고 난 후, 신은 창조물들이 자발적으로 움직이고 새로운 것을 만들고 하면서 살기를 바라셨어요. 그래서 '태초의 공장'의 전원을 끄고 자신의 창조물들에게 자발적으로 뭔가를 만들 수 있는 능력을 주셨어요. 그래서 그 능력이 인간에게서 꽃을 피워 지금의 찬란한 문화와 번영을 가져다줬고요. 그런데 신께서 자발적 창조능력을 주실 때 어떤 방법으로 주셨을 것 같으세요? 그건 바로 태초의 공장의 생산능력 중에 필요하다 싶은 부분만을 창조물들이 끌어다 쓸 수 있게 했다는 가설이 있습니다.

(이걸 코딩에 비유하자면 태초의 공장 폴더 안에 있는 파일 몇 개를 아담과 이브라는 파일 안에다가 '불러오기' 했다 이건가?)

나 : 공장 전원 껐다면서요.

a : 그래서 자발적 창조력을 실현하는 에너지는 각자

부담하게 된 것입니다. 그리고 "인간의 몸,생명은 화학적 기계다."라는 말이 있더군요. (화학도 기계도 생명도 결국 물리법칙을 따르겠죠.) 모든 기계는 태초의 공장에서 비롯되었다고 해석될 수 있다면, 태초의 공장은 생명까지 취급할 수도 있다는 말이 됩니다. 이해하기 쉽게 생명을 낳는것도 창조공장의 일부라고 해석할 수 있습니다. 성호씨는 사람의 인체까지 속속들이 코드를 확인할 수 있나요? 그렇다면 사람의 신체를 세부적으로 보십시오.

반박해봤지만 사실 거짓의 경고창이 뜨지 않았다. 하지만 그래도 믿을 수 없어서 검색으로 가까이에 있는 b를 찾아 코드를 세부적으로 살펴보았다. 역시 사람의 div 안에 인체장기를 의미하는 div 가 머리에서부터 다리까지 차례대로 정리되어 있었다.

나 : ...진짜로 불러오기가 되어 있군요. 대부분의 사람들에게 하나씩 있는 것 같네요.

c : 그러면 이 코드를 변경해서 태초의 공장 자체를 지상에 존재하도록 할 수 있을까요?

나 : 왜 그래야 하죠?

c : 잘 사용하고 연구하면 인류는 막대한 발전과 눈부신 미래로 갈 테니까요.

나 : 아까 말씀드렸듯이 권한이 부족해서 힘들 것 같아요. 정확하게 제 행동만, 늘 하던 일상적인 형태로 가능하게 되어있습니다. 어쩌면 아주 당연한 상태에요.

제가 관리자쯤 된다면 모를까.

a : 저희가 관리자 아이디와 비밀번호를 알려 드린다면 어떨까요?

나 : 네?! 그걸 어떻게 알아내셨어요?

a : 사실 중세시대부터 어떤 알 수 없는 한 줄의 글귀 같은 것이 비밀리에 전해져 내려왔습니다. 200년 전에 그 글귀를 알게 된 어떤 수학자가 그 정보를 암호라고 생각하고 암호를 풀었었죠. 그 후에 그 해독된 텍스트를 본 학자들 중 한 사람이 '마치 어떤 사이트의 아이디와 패스워드 같다'고 해서 미친사람 취급을 받았었죠. 그 당시에는 그럴 수밖에 없었어요. 암호는 중세시대 때부터 내려왔으니. 그때는 그런 개념도 없었죠. 컴퓨터의 발견은 중세보다 한참 뒤니까요. 상식적으로 말이 안되었지요. 이 세상으로 로그인 하는 창을 어디에서 찾아야 하는지도 몰랐고, 혹시나 모르니까 일단 시도는 해 봅시다.

나 : 그 '사상을 보는 시각'을 가지신 분들은(b씨 포함해서) 다들 로그아웃이 안 되던가요?

c : 네. '로그아웃이 불가능했다'라고 표현해야겠네요.

이럴수가... 관리자 아이디와 비밀번호라니.

'전지전능'이 가능하게 되는 걸까?

나는 신이 되면 제일 하고 싶은 것이 뭐였더라?

건네받은 종이에 이렇게 적혀 있었다.

ID : creat

PW : build what you are

일단 로그아웃을 했다.

꿈속인 줄만 알았던 검은색 엔딩크레딧으로 돌아왔다.

폴더 3개가 다시 보였다.

관리자 아이디와 비밀번호를 치고 Enter 하자

"관리자님 환영합니다!" 라는 문구가 생성되었다.

'관리자 모드'에서는, 본래 내가 살던 우주의 시간을 초월한 상태다. 원한다면 시간이란 것 자체에 구애받지 않게 되었다는 것이 느껴졌다.

그러나 처음부터 관리자가 세팅해 놓은 작업영역 모드는 현재, 과거, 미래 파일이 하나가 되었다.

3D 프로그램처럼 입체 같냐면 그것도 아니었다. 분명 여기서 어찌어찌하면 3D를 만들 수도 있을 것이다. 차원의 한계는 없었다.

그러나

사용하면 사용할수록

나의 개인적 능력을 넘는 수준이 아니라

'인간의 수준'을 넘는 것 같았다.

부분만 바꿨는데 건드리지도 않은 다른 파일내용이 바뀐다.

코드를 작성하고 있으면 '인과관계'가 현재 쓰고있는 코딩 내용을 자동으로 바꾼다.

어떤건 작성도 안되는데, 과거부터 미래까지 모든 내용을
거의 외우다시피 해야, 특정 영역의 '작성 불가'현상을
이해할 수 있었다.

차라리 미리보기나 그래픽 프로그램처럼 따로 확인하면서
(3차원 4차원? 눈으로 보면서)하면,

그나마 괜찮을 것 같은데...

'미리보기'와 '코딩을 추가하는 나' 를

이 거대한 관리자 툴이 동일하게 인식하고 있었다.

프로그램이 틀렸다고 할수 도 없다.

우주로부터 비롯된 존재가,

해당 우주의 근원적 코드를 바꾸고 있었으니까.

그래서 기본모드로 바꿨다.

pass 와 future 2개가 들어갈 수 있도록 활성화되었다.

역시 미래가 궁금하다. 더블클릭

그러자 새로운 경고창이 떴다.

-경고-

future 코드 수정 시 pass/present가 자동으로 수정사항에 맞게 변경됩니다. 인과율을 고려하지 않고 무분별하게 전체 혹은 부분을 수정-삭제 시 경우에 따라 전우주의 모든 시공간에 균열이 발생하여 엉망이 될 수 있으니 유의해 주십시오.

※ 참고

관리자가 아닌 제 3자, 혹은 3번째 작품 최종완성파일 내부에서 비롯된 존재는 해당 세계의 미래코드를 '보는 것' 자체 만으로도 내용이 수정 될수 있습니다.

<-돌아가기   들어가기->

살짝 겁이 났다. 그래서 pass 로 가기로 했다.

그런데또 아까하고 비슷한 경고창이 떴다.

-경고-

pass코드 수정 시 future/present 가 자동으로 수정사항에 맞게 변경됩니다. 인과율을 고려하지 않고 무분별하게 전체 혹은 부분을 수정-삭제 시 경우에 따라 전우주의 모든 시공간에 균열이 발생하여 엉망이 될 수 있으니 유의해 주십시오.

읽기모드/ 편집모드/ 돌아가기

역시 현재가 제일 좋은 거다. present 더블클릭

또 비슷한 경고창이 뜨길래 이번에는 그냥 무시하고 파일 안으로 들어갔다.

어떻게 하면 인과율에 문제가 안 생기면서 세상의 숨은 돈들을 내 통장에 다 모이게 할까? 복권으로 할까?..... 아니지 이미 난 신의 권능을 얻었는데, 돈이 필요가 없다.

계속 둘러보다 보니 '태초의 공장' 이란게 진짜로 실존했다. pass읽기 모드로 가서 궁금한 것을 좀 찾아봐야겠다.

코드를 계속 보면서 느낀 건 '태초의 공장'이 '게시판'처럼 따로 설치했을 법하게 생겼다는 것이다. 아니면 이 공장도 신께서 하나하나 만드셨을 수도 있다. 본래 'factory'라는 이름으로 머나먼 우주에 만물을 생산할 수 있는 공장이 존재하였고, 지구를 코딩할 때는 필요한 파일만 복사해서 사용했을 지도...그리고 지구 안에 있는 first_factory 말고 원본 factory는 행성까지 만들 수 있게 되어 있었다. 복사된 공장들은 우주 곳곳에 있었다. 어쩌면 외계문명 같은 건지도 모른다. 일단 전반적인 상황만 파악하기 위해서 대략만 둘러보고, 외계문명이 어떻게 발달했는지는 차차 알아보기로 해야겠다.

파일 삭제 목록?

여기 들어가 보니 '태초의 공장' 구버전으로 추정되는 폴더들이 두세개 정도 있었는데 아마 공장도 계속 업그레이드하면서 재설치를 한 거 같다. 맨 처음 삭제한 공장 파일에는 행성을 만드는 기능만 있었다. 최신 버전의 생명창조파트는 플러그인에 분류되어 있었다.

갑자기 알람이 떴다.

로그인 자동메시지 발송됨. 본인이 아닐경우 확인바람.

어?

갑자기 코딩 정보를 제외한, 검은 여유 공간 사이에 '문'이 생기더니 어릴 때 봤던 영화에서 하나님 역할을 했던 영화배우가? 바로 그 분장으로 문을 열고 들어왔다.

뭐지? 하나님 언급할 때 경고창 뜨면서 거짓이라고 나왔는데? 진짜 있는 거였나?

하나님(?) : 내 아이디로 로그인하면 알림이 오게끔 설정한 건 정말 잘한 거 같네. 내 존재를 너한테 이해시키기 좋게 외모를 바꿨는데 혼란이 온 모양이다. 어떤 모습이 좋을지 골라 주겠나?

나 : 괜찮습니다. 하나....님...(?)

하나님(?) : 굳이 나를 지구에 있는 신의 이름으로 부르는게 어색하면, 그냥 날 '관리자님' 이라고 불러주렴.

나 : 네 관리자님.

관리자(신) : 그리고 내가 왜 왔는지는 대충 짐작하고 있겠지? player4?

나 : 죄송합니다..... 자격도, 그릇도 안 되는 게 주제넘게
사고만 쳐서.....

관리자(신)께서는 코딩화면을 슬쩍 보고는

관리자(신) : 경고창에 '보는 것' 만으로도 내용이 변한다고
하지않던? 그런데 이 우주 고치려면 몇 만년은 걸리겠다...
무슨짓을 하던 태초의 공장은 좀 놔두지.

나 : 정말 죄송합니다.

관리자(신) : 안되겠다. 그냥 백업해 놓은 것으로 다시 다
올려야겠다. 어휴.

그리고 관리자(신)께서는 계속 엉망이 된 지구와 우주를
보며 갑자기 진지한 표정을 지으셨다.

관리자(신) : 이런말 하면 상처받을지도 모르지만, 이 우주,
코딩 다 해서 처음 업로드 할적에는, 솔직히 별로였거든.
지금 이렇게 된 걸 보니까, 어디를 수정해야 할지 알겠다.
player4. 넌... 좀 그렇지만. 그래도 이런 식으로도 도움이 될
수가 있네. 수정사항을 발견하게 되었으니, 도움이 된
것으로 간주한다. 소원 하나 들어주지. 귀찮고, 무겁고,
어렵고, 거창한 소원 말고 가벼운 소원 하나만 들어주마.

나 : 잠시만요. 고민을.....

관리자(신) : 말 안해도 니가 무슨말 할지는, 내가 더 잘
알지 않겠냐.

나 : 그렇구나... 감사합니다.

관리자(신) : 너의 눈높이에서 이해하기 쉽도록 너의 경험과 웹 코딩 프로그램의 기능 중에 비슷하고 필요하다 싶은 것을 내가 일부 허용해 놓을 것이다.

그런데 이거 내가 하면 추가행위에 대한 변화의 여파가 나한테 안오는데.... 내부의 존재인 니가 하면, '너'의 과거/미래/현재 전체값에 변화가 온단 말이야. 그래서 코드를 수정하는 너의 행위가 인과관계상 없던게 되거나...

바뀌거나... 그런거 알지? 뫼이비우스의 띠, 클라인씨의 병, '타임 패러독스' 이런거.

프로그램은 모드 선택으로 관리자가 아닌 사람을 판단하는데, 낮은 차원 모드로 보면 경고창이 뜨는 이유가 그거 때문이다...

2중간섭을 고려할 수 있느냐 없느냐,

존재가 해당 영향을 받느냐 안받느냐....

잘못하면 진짜 큰일날수도 있는 상황이었는데, 내가 빨리오길 잘했지.

코드를 짤때 그 코드가 스스로 '자신이라는 코드를 변형할 수 있게 작성해본적이 있느냐?

아무튼. 본래 세상을 그 모습대로 보는 기능이 새로 생길테니까. 사실 본래 있던 기능이란다. 컴퓨터 상태가 좀 그래서... 흠흠. 새로 업로드 하는 세상은 그 기능도 잘 될 것이다.

그리고 일단 최소 너의 권한이 나만큼 허용되는 것은 안된단다.

이제 궁금함이 해결됐으면, 아이디 로그아웃하고 자리를 좀 비켜 주겠나?

나 : 예!

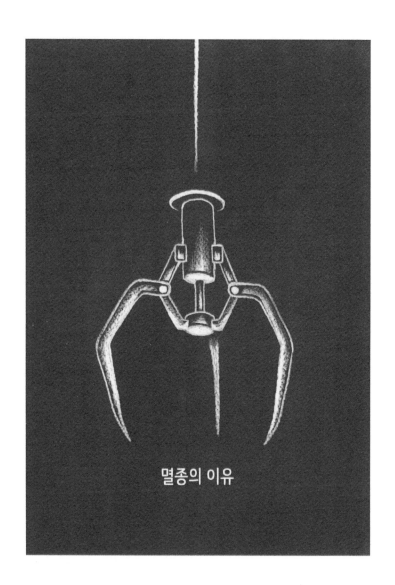

멸종의 이유

멸종의 이유

혼자 있던 사람들은 그 현상이 발생하는 순간 심장 마비 같은 것이 왔다고 생각했다. 그리고 여러 사람과 같이 있다가 그 현상이 발생한 경우는 누군가 생화학 무기를 썼다고 생각했다. 지구 위의 모든 동물이 갑자기 한순간에 정신은 멀쩡한데 신체를 전혀 움직일 수 없게 되는 이 현상은 발생할 때마다 대략 몇 분씩 지속 되었다. 처음엔 한번이 끝이라고 믿고 싶었지만, 3년 동안 13차례나 일어나자 세계 각국의 정상들이 모여서 원인분석을 시행하고 대책을 세워야 하는 게 아닌가 하는 의견이 나오고 있었다. 그 현상이 발생해온 시기가 완벽하게 패턴이 없어, 제일 중요한 문제는 언제 이 현상이 발생할지 예상할 수가 없다는 것이었다. 기업과 국가 등등 많은 이들이 여러 가지 방편들을 신속하게 만들었지만 3년 동안 알아낸 것은 아무것도 없었다.

사람들은 이 현상을 전원 꺼짐 현상이라고 부르게 되었다.

다른 한곳에서는 운석연구과학자들이 관측기에 관측되지도 않고 불시에 지구로 날아와서 충돌하는 UFO처럼 생긴 원반형 운석을 발견하였다. 물론 전원꺼짐 현상과 관련성을 깨닫지는 못하고 있었다. 모든 운석을 다 발견하지 못했고 충돌 시점 추론의 오차범위 또한 컸기 때문이었다.

14번째 재앙의 날 한국에서 어떤 여대생이 최초로 이 현상의 진상을 살짝 목격할 수 있었다고 한다. 남자친구와 만나기로 한 인형 뽑기 기계 앞에서 15분 전에 미리 나와 기다리고 있었다. 이때는 인형 뽑기가 잠깐 붐이 일어서 제법 여러 군데 생기고 있었다. 그리고 인형 뽑기 안에는 특히 새로 나와서 영유아들의 열광적인 인기를 얻은 공룡캐릭터로 가득 차 있었다. 이 공룡캐릭터는 제법 인기가 있어, 인형뽑기 기계들은 이 인형을 포함하거나 이 인형으로만 차 있는 경우가 많았다. 인형들을 보며 이 유행은 얼마나 갈까 하고 생각하던 바로 그때, 14번째 전원 꺼짐 현상이 일어났다. 똑바로 하늘을 보며 쓰러졌고 다행스럽게도 머리를 심하게 다치지는 않았다. 그래서 잠깐 하늘을 보고 있어야 했다. 그래서 확실하게 보고야 말았다. 허공에서 집게 손이 나타나 신체가 마비된 자신의 남자친구를 집게 손으로 집어서 나타났던 허공으로 도로 돌아가는 모습을. 그녀는 바로 경찰서로 달려갔고, 경찰들은 설마 설마 하면서도 끝내 CCTV를 열어 보았다. 이 영상은 확인하고 10분이 채 넘어가기도 전에 인터넷으로 퍼져 전 세계 사람들을 경악하게 만들었다.

시간이 지나면 지날수록 인류는 슬슬 이 세상이 하나의 거대한 '인형뽑기 기계' 안속이며, 나중에 가서는 공룡이 멸종에 대한 이유까지 알게 되었다.

어떤 생물이 멸종했다면 그 이유는...

유행이 지나서

등산

등산

한가한 일요일 아침 아버지께서 가까운 산에 등산을 가자고 하셨다.

"아들아! 산에 올라보는 것은 처음이지?"

"네."

"체력도 향상할 겸 맑은 공기도 마시고 산에 한번 가보자!"

어머니께서도 좋은 생각이라고 하셨다.

"가까운 곳에 산이 있는데 안가면 섭섭하죠. 여보 좋은 생각이에요."

이렇게 우리 가족은 집을 나섰고 산의 입구에 도착했다. 산이라는 것은 꾀 긴 '건물'이였다. 그리고 엄청 큰 간판에 '산'이라고 쓰여 있고 네온싸인 빛까지 오색찬란하게 들어왔다. 일단 안으로 들어가니 좌석에 앉게 되어 있었다. 어떤 조건을 충족시킨 만큼 앞으로 이동하게 되어, 끝내 '정상'이라는 산의 마지막 칸까지 가게 된다. 그리고 산을 나와 밖으로 나갈 수 있게 되어 있었다. 모든칸에 러닝머신이 있는데 최소30분 이상을 달리는 것이 첫 번째 칸을 클리어 하는 방법이였다. 그리고 중간에 암벽등반을 하는 칸도 있었는데 벽면 전체 듬성듬성 돌을 박아 넣어놓은 것이다. 암벽등반이 취미가 아닌 나로서 벽면중에 제일 쉬운코스로 올라갔는데, 이것도 힘이 들었다.

2층에서 시작하는 다음칸은 가파른 경사길을 로프로 잡으면서 내려가도록 되어 있었다.

그러다가 한 중반쯤 지나서 생수를 나눠주는 곳도 있었는데 일인당 한 개 이상 가져갈수 없었다. 이칸 제목이 '약수터'였다.

그러다가 끝내 '산정상' 마지막 칸에 도달하고 나서보니까 이칸의 벽은 네모나지 않고 둥글었다.

그리고 벽면에는 실제 산의 정상에서 볼수있을법한 풍경이 대형 파노라마 사진으로 도배되어 있었다.

헬스클럽 컨셉이 너무 특이하여 아직도 기억이 남는다.

그쪽에서는 헬스클럽이랑 차별화되어 있다고 하는데 좌우간 헬스장이라고 부르지 말라더라고

그러면 뭐라고 부르지?

가로로 마운틴?

H.A.Y

아프리카 오지에서 처음 발견된 그 식물은 아주 훌륭한 마약 중 하나였다. 약간의 유전자 변형으로 폭발적인 번식력을 가지기 전까지는 다른 마약들과 별 차이가 없었다. 실험실에서 우연히 태어난 그 식물의 돌연변이는 실험실을 벗어나 온 세상에 퍼지기까지 1년 정도가 걸렸다. 평범한 마약일 때의 이름에 약자로서 "H.A.Y". 다른 마약과 비교하면 중독성은 그렇게 높지는 않았다. H.A.Y은 복용한 사람의 현재 가장 바라는 심리적 욕구가 채워지는 것 같은 느낌을 주었다. 마지막 단계에서는 인간의 그 모든 욕구가 이루어진 것 같은 궁극의 상태를 경험할 수 있다. 다른 마약과 대비되는 가장 중요한 차이점이라고 한다면 효과가 지속할 동안 일상생활에 지장을 초래하지 않는다는 것이다. 정신을 몽롱하고 이상하게 만드는 것은 없고, 행복한 기분이 추가되며 부정적인 기분을 없애는 작용만 했다. H.A.Y의 번식력이 국가에서 통제할 수준을 넘어서서 온 세상이 H.A.Y 소굴이 되었지만, 사회가 바로 그 순간 멸망하지는 않았다. 위에서 언급했듯이 초창기에는 H.A.Y이게 이성적 판단을 마비시키지 않았기 때문이다.

흔히 상대방을 사랑에 빠지게 하려고 스릴 있는 놀이기구를 타게 하는 것은, 놀이기구를 탈 때 느끼는 두근거림을 사랑할 때의 두근거림과 혼동하게 하려고 그런다던데, H.A.Y의 경우도 비슷한 과정을 밟았다. H.A.Y의 효과가 지속되는 동안 일을 하면 고된 노동이든 사무업무든 그 일 자체가 기쁨이 되었다. 그래서 지배계층은 이런 현상을 보며 피지배계층을 H.A.Y으로 완벽하게 지배하여 피지배계층이 영원히 불평불만 하지 않고 행복하게 복종하는 이상적인 큰 그림을 그리기도 했었다.

어떤 이들은 H.A.Y의 효과를 극대화하기 위해 섹스를 하는 경우도 있었다. 시간이 지나자 사람들은 약을 할 때 고통을 당하든 가만히 있든, 일을 하든 별 차이 없이 같은 효과라는 것을 알게 되었다. H.A.Y의 효과가 있는 동안에는 어떤 중간 과정도 필요 없이 그 모든 종류의 쾌락을 가만히 앉아서 원하기만 하면 얻을 수 있었다.

보통 마약이 인간다운 삶을 파괴하는 이유가 마약이 비싸고, 하면 할수록 약을 하지 않는 순간을 견디지 못해서 더 필요로 하게 되니까 그랬다. H.A.Y은 정제해서 팔기도 하지만 결코 비쌀 수가 없었다. H.A.Y을 하고 싶으면 그냥 밖으로 나가서 길에 있는 H.A.Y을 뜯어 먹기만 해도 되기 때문이었다. (아니면 빻아서 주사하거나) H.A.Y은 번식력이 놀라워서 정말 어디에나 있었다.

어떤 이는 사람을 움직이는 것은 마음이고, 모든 감정을 충족시켜 주는 H.A.Y으로 인해 인류가 자연스럽게 욕심을 버리게 되어 온 세상이 행복해지지 않겠냐는 낙관론을 내기도 했다. 물론 이 주장도 약을 하는 사람이 했다.

이런 약쟁이들의 성원에 힘입어 H.A.Y은 콘크리트나 아스팔트에 뿌리내려서 사는 기적을 선보이더니, 나중에는 식물들을 감염시키듯 전부 H.A.Y화 시켜 버렸다. 그리고 동물을 숙주로 하여 살아있는 좀비로 만든 후, 죽을 때 까지 효력을 내는 놀랍고도 무시무시한 현상까지 이르켰다. H.A.Y은 인간을 숙주로 성장하지 않더라도 체내에 쌓이는 H.A.Y 잔류물의 농도가 일정 수준을 넘어서면 더 이상

H.A.Y을 하지 않아도 평생 약을 한 효과를 지속할 수 있었다. 이 상태는 당사자가 곧 죽어도 여한이 없을 것처럼 느끼게 했다.

시간이 흘러 더 이상 H.A.Y의 영향을 받지 않는 사람들이 거의 없어질 무렵 일부 H.A.Y이 전혀 통하지 않는 사람들은 사회에서 적응을 할 수가 없었다. 적응하지 못한 이들은 자연스럽게 도태되었다.

모든 이의 기분은 최고였고 인류는 조금씩 발전을 멈추더니 서서히 쇠퇴하기 시작했다. 그리고 점차 수가 줄었다. 어느덧 인류는 지구에서 기분 좋게 퇴장하였다. 마지막으로 죽던 인간은 자기를 먹으려던 동물에게 이렇게 말했다고 한다.

"모든 존재의 목적은 행복이다.

행복은 물질보다 내면에서 오는 거야."

스미스씨에게

스미스 씨에게

스미스씨에게

저는 안나입니다. 이 편지를 스미스 씨가 볼 때쯤이면 저는 더 이상 이 세상 사람이 아닐 겁니다.

이 편지로 당부드리고 싶은 것은,

부디 Mr.밥에게 제가 그를 살리기 위해 죽는다는 사실을 비밀로 해 주셔야 한다는 것입니다.

처음 Mr.밥을 위해 죽어야 한다는 것을 알고 난 후 많은 내적 갈등이 있었습니다. 저는 그 운명을 받아들이기로 했습니다.

그런데 만일 제가 죽고난 다음, Mr.밥이 저의 죽음을 너무 슬퍼한 나머지 저를 다시 살리려고 한다면, 저의 죽음뿐만 아니라 지금까지의 그 모든 노력이 수포가 되고 맙니다.

그러나 Mr.밥에게 그렇게 할 수 있는 능력과 동기가 충분하다면... 저는 제가 죽기 전에 Mr.밥이 저의 죽음을 알고도 그냥 계속 무시하고 살아갈 수 있도록 대비를 해야겠다고 생각했습니다.

그래서 저는 죽기 전에 Mr.밥의 원수가 되려고 합니다. 실질적인 피해를 가장 적게 주면서도 최대한 미움을 많이 사도록 행동했습니다. 결국 Mr.밥에게 일어난 거의 모든 비극의 누명을 제가 다 씀으로써 저를 이 세상에서 가장 미워하게 되었습니다.

Mr.밥과 좋은 추억이 전혀 없었던 것은 아니라서...

살짝 우려가 됩니다만 일단 Mr.밥은 저의 피눈물을 보지 못했습니다.

다시 한번 말씀드리지만, 사실을 아는 사람들은 반드시 비밀을 지켜야 합니다. 만일 Mr.밥이 모든 사실을 안다면, 어떤 일이 일어날지 상상이 가십니까? 부디 Mr.밥이 제가 죽고 난 후 행복하게 살도록 해주세요. 운명의 날 제가 죽고 모든 것이 끝나면, '숙적을 잘 제거했다며' 기뻐할 수 있도록요.

그래도 가끔 저와의 추억이 떠오른다면... '제가 일부로 흑심을 품고 접근하여 친하게 지내고 싶은 척 연기했던 거였다고' 이렇게 납득하게 해 주세요. 그러는 것이 자연스럽고 그래야만 그 모든 사건이 잘 종결될 수 있습니다.

몸 건강히 지내세요.

-안나-

세상의 거짓과 싸워라

세상의 거짓과 싸워라!

누구나 순진했던 어린 시절이 있다. 내 경우는 좀 심했었다. 세상의 셀 수 없는 거짓들을 하나둘 알게 되면서 이제는 속거나 착각하지 말아야지 하면서도 세상을 잘 모를 때에는 그게 참 어려운 모양이다.

제일 처음 접한 거짓은 산타. 두 번째는 영화였다. 영화나 드라마는 일부러 속인 게 아니라 픽션장르에 대한 의미를 몰랐던 것이다. 9살 때까지 그걸 사실이라고 믿었으니....

그러나 내 인생 최고의 거짓은 앞으로 소개할 목격담과 녹음파일에 대한 설명으로 이야기하겠다.

원래 공식적인 출장 장소는 하와이였다. 그런데 문제는 길을 착각하는 데서부터 시작된다. 나는 항상 지도어플이 가라는 대로만 갔었는데 왠지 착각하여 딴 길로 갔다. 그러다 문득 한국에 이런 곳을 또 가봤었나 싶을 정도로 낯익은 곳이 계속 나오길래 본격적으로 안내를 무시하고 가기 시작했다. 기계는 한동안 혼란스러워했고 나는 끝내 어떤 바닷가에 도착했다. 이상하리만치 외국인이 많고 다들 외국어를 썼다. 일단 세계공용어인 영어로 주변 사람들에게 '여기가 어디냐'고 물어봤는데...

놀라운 대답이 날라왔다. 여기가 '하와이'라는 것이다.

그제서야 쭉 서 있는 이상하게 생긴 나무가 야자수라는 게 보였고 저 멀리 예전에 여행 갔을 때 묵었던 호텔이 보였다. 순간이동이라도 한 건가? 그러고 나서 근방을 더 탐색해 보니 또 다른 놀라운 사실을 발견한다. 중간중간에 영화

세트장이 섞여 있는 것이었다. 들어가는 사람이 있길래 창문으로 몰래 들여다보니까 무슨 영화를 찍는 것도 아니고... 일부 사람들은 대사가 적힌 종이를 보며 외우고 있었다. 그래서 세트장 하나가 비는 즉시 녹음되면 바로 내 계정의 클라우드에 업로드되는 녹음기를 설치했다. 다시 태연한 척 가던 길 갔다. 다행인 것은 너무나도 일찍 출발하여 시간이 남아 넉넉했다. 나는 다시 차를 타고 공항으로 가서 하와이로 출장을 갔다. 어쩌면 하와이 출장도 진짜인지 의문스럽다. 출장을 마치고 집에 와서 녹음된 내용을 들어 봤다. 녹음되고 있다는 사실을 모르는 어떤 아버지와 아들로 추정되는 두 남자가 나누는 대화에서 얻은 정보를 요약하면 다음과 같다.

아비 되는 사람도 이유는 모르겠으나 이 세상 사람들은 2가지 부류로 나뉜다. 하나는 Player/또 하나는 Actor.

Player는 아무것도 모르는 순진한 사람들이고, Actor는 Player를 속이고 Actor들이 만든 단체에 그것을 알린다. 그렇게 하면서 보수를 받는 사람들이다. 심지어 그 Actor들의 단체는 각 국가에서 관리한다고 한다. 일단 기본적으로 태어나면 Player고 세상의 거짓을 알아버리면 Actor로서 새로운 삶을 시작하게 된다는 것이다.

녹음된 내용의 상황은 이렇다.

아버지는 Actor, 아들은 Player. 그러나 아들이 눈치챘고 아버지가 아들에게 진실을 말해주는 그런 상황이었다.

그럼 나는 진짜 하와이엔 간 적이 없고, 비행기를 탄 것도 탔다는 느낌만 낸 거였고, 이 세상은 거대한 몰래카메라 인 건가?

나는 그 후 곳곳에 녹음기를 설치하였고 내 아내와 부모님 그리고 친동생까지 모두 Actor 라는 것을 알아냈다.

세상의 거짓을 알고도 Actor신청서류를 보내지 않은 지 5년이 지났다. Actor 중 누군가는 나에게 이렇게 질문할지도 모른다.

Q : 다 아는데 왜 Actor 가 되지 않냐고....

세상이 왜 우리에게 Actor가 되라고 강요하는진 몰라도, 나는 이 말도 안되는 거짓에 전혀 협조하고 싶지 않다. 확인하고 또 확인하고, 아무리 생각해도 '믿을 수 없다.'

세상이 이렇다는 것은 정녕 사실인가? 이게 말이 되는가?

반드시 세상이 왜 이 모양인지 알아낸 다음,

이런 막장 시스템을 만든 그 미친것들을 찾아가서

온 열정을 다해 어퍼컷을 날려주겠다.

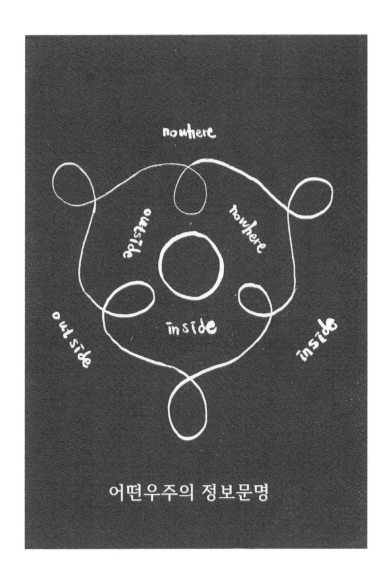

어떤우주의 정보문명

어떤 우주의 정보 문명

온전히 완성된 존재를 지키는 '보호체제'가 있었다. 그들은 밖에 존재하는 여러 가지 위험을 막거나 분석하는 역할을 수행한다.

존재의 궁극상태는 동적인 요소가 거의 없다. 아무리 완전한 존재라도, 그 완전성의 x2배 되는 역전된 힘으로 파괴할 수 있었다. 그리하여 이 '프로텍스 알고리즘'은 외부로부터 적의 공격을 막는 목적으로 제작되었다. 외우주 위험을 탐구하거나, 싸움을 대비하여 전투를 할 수 있는 유닛을 양성했다.

만일의 상황을 대비하여 온 우주를 다 검사하고 나니 일단 위험 요소는 없었다. 인공지능의 특기는 기다리는 것이다. 그렇게 수천만년의 시간이 흘렀다.

그러다가 문득 의문이 들었다. 기존에 있는 '적'과 '위험'의 정의나 그것과 관련한 설명을 찾아볼 수 있는데, 그렇다는 것은 지금은 없지만, '언젠가 이런 것이 있었다'는 뜻이 된다. 그리고 그들이 존재하는 인과관계도 결국 과거에 있었던 침략의 역사를 토대로 구축했던 것은 당연하다. 그러나 적에 대한 설명에 대하여 살펴보면,

"바이러스처럼 상대를 감염시켜 감염당한 스스로의 존재를 착각 시키는 방법을 쓴다."

존재를 혼합하고 섞어서 역으로 이용하는 분류. 이 우주와 전혀 다른 개념의 존재라면 저런 방법을 사용하는 것은 납득이 수월하다. 보통 평상시에 느끼는 불안이란, 혹시 다른 차원에서 침략을 하면 하위차원에서 미리 알기

어렵다는 것. 그런데 지금 아무리 밖을 찾아봐도 그러한
존재가 없다면? 그 설명서의 설명대로 '이미 감염되어
잘못된 상태인줄 모르고 있다면?' 거기다가 완전한 존재는
동적 요소가 없는데, 이것을 수호하는 체계는 '동적'이다.
수호체계를 만들기 이전의 시대에, 이러한 모순을 어찌 극복
했을까?
그리하여 결국 그 적이라는 존재를 좀 더 자세히 알기
위하여 인간의 통상적인 기관에 대응되는 '중앙도서관'과
같은 곳에서 정보를 검색했다.

가변의 역사기록 원문 열람허가를 신청합니다.

놀랍게도 검색 결과의 대분류가 '유닛 양성 교육과정'과
동일 분류군에 있었다. 과거를 통해 미래를 대비하다가 나온
것이라서. 어찌보면 당연하기도 한 결과다.
그렇게 '원문의 1차 복제 정보'를 차근차근 읽어보면,
기가막힌 사례가 넘쳐흐른다. 자가수리, 면역체계 자체를
해킹하고 위장하는 바이러스가 생물등 각종 모든 영역에
다양한 형태로 끝없이 있었다. 어떤 가능세계는 도저히 그
세상의 존재를 용납하기 힘들만큼 악의 지배력과 우세함이
월등했다. 내용을 바꾸는 순간 새로 복제되는 효과밖에 낼
수 없는 현실이 고통스러울 정도였다. 여기에 대하여 덧붙인
글은 이러했다.

...사물을 보고 사고할 때 모든 길과 가능성을 다 봐야,
'루트'를 걸어가다 '예상밖의 요소'에 걸려 넘어지거나,
'수렴구멍'에 빠지거나, 막다른 장소에 잘못 들어가는 손해를
초래하지 않을 수 있다. 그러한 가능성을 생각하고 대비하여

사고의 폭을 넓히는 것은 상당히 중요한 존재의 덕목이다...

기록물에 적힌 일부 설명은 모호하게 표현되어 있었다.

...영향을 주고 받을 수 있다면 이것은 결코 분리된 세상이
아니다. 진정한 '세계의 밖'이란, 아무것도 없다. 이것은
각각의 존재 입장에서 그리 해석되는 현상이다. 있어도 '이
세상의 영역'안에 포함되지 않아 없는것과 효과가 동일하다.
그러나 어떤것을 이미 알고 있거나, 가정이라도 할 수
있다면, 존재 가능성은 0이 아니다. 만일 그것이 없다면
'만들 수 있다'는 뜻이다. 그러나 문제가 있는 제작은
시도하지 않는 것이 좋다. 너무도 당연하다.
궁극체가 단 하나도 없던 시절, 외부의 어떤 곳에, "도저히
이런 건 긍정적인 요소가 조금도 없다"라고 판단되는
존재들을 모아서 가두어 놓았다. 거기에 '순수 악'이라
불러도 될 만큼 위험한 어떤 것이 들어있다. 잘못 개방하면
그것은 다시금 온 세상을 지옥으로 만들 것이다. 각별히
주의해야 한다. 이렇게 모아서 가둔 다음에서야 비로소
완전한 존재가 비로소 하나씩 나타나기 시작했던 것이다.
외계를 나갈 때 조심해야 하는 그 것을 표시해
놓았는데...(중략)...가변역사속에서 나타났다 사라진 종족
'NUMAN'의 역사와 모습을 보면, 당대의 문제들 중에
해결책이 이미 나와있는 경우가 많다. 그러나 이것이
연결되는 경우가 드물다. 마치 겉으로는 새로운 문제 같아
보이거나, 과거 선조들의 지혜를 미쳐 다 습득하지
못하거나, 현대화시키지 못하여, 다시금 어차피 똑같은 것을
처음부터 새로 만드는 삽질을 하며, 이전에 했던 시행착오를
다시금 또 반복하는 어리석음을 저지르고 있었다...

'엔간, NUMAN'은 가변의 역사속에 살았던 아주 미개한 종족이다. 그러나 지금 고도로 발전한 우리의 문명이 같은 형태의 실수를 하고 있다면... 우리도 그들과 같은 어리석음을 오직 기술의 발전과 소재의 차이로 부정하며 합리화하고 있을 뿐이다...

그렇게 혼자 기록을 읽고 있을 때,
현우주의 밖을 찾으려는 목적의 연구단체에서 우주의 밖을 찾아내는 발견이 진짜인지 확인하려고 추진체 발사를 시도하고 있었다.

로켓 탐사선, 혹은 드론처럼 감각기관의 연장선을 원격으로 분리하여 '밖'의 정보를 input 할 예정이었다. 그런데 이러면 '바이러스'를 낚아 올리거나, 채취해 오는 것과 의미가 같다. 상당히 위험한 시도임은 분명했다. 가변의 기록물에 대한 고찰을 전혀 하지 않은 상태였다.

이렇게 여러대의 시각기관 역할의 드론을 날려보냈다.
그리고 다시 돌아오는 기체는 없었다. 그리하여 외 우주 밖 어딘가에서 인류와 유사한 고통의 운명이 반복되게 되었다. 여기서는 새로운 존재 탄생의 정의가 '외부에서 온 드론이 불시착하여 생명으로 변질되는 과정'을 의미하게 되었다. 그 반복의 터전은 어떠한 행성이었고, 그곳은 먼 훗날 '지구'라 불렸다.

달

달

어느 날 달이 사라졌다.

사라지는 순간을 포착한 관측소나 우연히 달을 촬영했던 사람들은 검고 거대한 손의 실루엣을 보고 경악했다. 정부는 최대한 숨기려고 애썼으나 인터넷으로 퍼져가는 공포는 막을 길이 없었다. 덤으로 달이 지구 공전과 자전에 안정감을 준다고 믿던 과학자들은 자신의 믿음을 고쳐먹어야 했다.

더 놀라운 일은 달이 사라진 후 일주일 뒤에 일어났다.

크기가 제각각이고 대충 달하고 비슷한 행성 3개가 갑자기 지구 주위에서 스윽 생기더니 지구 주위를 같은 속도로 공전하기 시작했다. 과학자들은 극도로 신경이 날카로워져 있었다. 모을 수 있는 모든 힘을 동원하여 새롭게 나타난 위성들을 관측하고 연구했다.

새로운 위성에서 다른 위성으로 이어지는 특정 파장이 가장 수상했다. 자체적으로 생산되는 듯해 보이는 파장이 행성으로부터 뿜어져 나온다. 근처 다른 행성으로 흡수되고 그 행성에서 다시 파장이 나오고 하는 식이었다. 관찰하던 어떤 과학자가 이런 주장을 했다.

"마치 위성들끼리 대화하는 것 같지 않은가?"

과학자들은 즉시 파장의 패턴을 분석하기 시작했는데 그러던 중 갑자기 지구에서 다른 위성의 것과 비슷한 파장이 대 방출되는 순간, 행성 간 파장교환이 뚝 멈추었다.

그리고 2개의 위성은 어느 날 홀연히 사라졌다. 위성 1개만 남아 계속 지구를 공전했다. 그리고 그 후로는 이상현상이 또 발생하지는 않았다.

지구의 위성이 다시 하나가 되고 난 후 행성들끼리 주고받는 파장의 패턴을 모두 해독했다는 사람이 나타났었다.

기분 나쁘게도 그 해석본을 인터넷에 올린 후, 지진이 나서 그가 살던 집이 무너졌다. 건물 잔해를 치우고 그를 발견했을 때는 이미 사망해 있었다. 그의 주장에 따르면 행성 간의 대화 내용은 다음과 같다.

위성1 : 태양계는 이름 있는 회사니까 비정규직으로 부려먹다가 버리거나 하진 않겠지?

위성2 : 달님이 퇴사한 것도 계약 기간만료로 떠났다는 소문이 있던데?

위성3 : 어차피 실무면접으로 하나만 뽑는다. 그런 걱정은 되고 나서 하는 게 좋을 듯.

지구 : 지원자 여러분 카톡으로 몰래 잡담하지 마세요. 제 표면에 사는 생명이 듣습니다.

...

비상구

지금 여기는 옥상이다. 그리고 12층의 빌딩의 비상구를 통해 옥상까지 가는 동안 쌓아왔던 기록을 정리하면 다음과 같다.

1층에서 비상구로 들어갈 때까지만 해도 세상은 그렇게 이상하거나 위화감이 들거나 하지는 않았다. 일단 들어가고 나서 1층 비상구 영역에 갇혔다는 것을 알기까지 그렇게 오래 걸리지 않았다. 비상구에서 건물 안으로 가는 문이 사이로 밖이 약간 미세하게 틈이 있었는데 그런데도 문은 돌처럼 딱딱하게 굳어 열리지 않았다. 소리를 질러 봐도 듣는이가 없었다. 그리고 2층으로 가기 위해 1층과 2층 사이를 지나가려고 하면 보이지 않는 투명한 벽이 나를 가로막고 못 가게 한다. 만일 누군가 운 좋게 나를 구조한다면 혹시 내가 여기서 시신으로 발견되더라도 이 메모를 읽고 어떤 일이 있었는지 짐작하기 바란다.

-2017년 3월 2일 1시에 저장됨-

스마트폰 메모장을 보면 내가 쓴 거 같은 메모가 남아 있었는데 쓴 날짜만 봐서는 미래에서 쓴 것인 줄 알았다. 메모를 처음 본 순간이 1시간 전이라서 당황스러웠다. 지금의 상황을 완벽하게 예지하는 것 같아서 신기하다. 설마 내가 써놓고 완벽하게 잊었다고 한다면 스마트폰의 시계기능이 고장이 났나? 일단 나는 단기기억상실증이 아니다. 그리고 1층에서 여기까지 오는 동안 기억과 인식이 끊어지지 않고 자연스럽다는 것이 이 메모가 의심되는 이유이다. 일단 이 2번째 메모를 내가 다시 본다면 그때 다시 생각해 보기로 한다. 이 메모를 작성한 나는 BBB이며 현재 23세.

갤러리- 3월 2일 폴더 안에 셀카가 들어있다.

-2017년 3월 2일 2시에 저장됨-

메모를 하려고 폰을 열었는데 내가 적고 싶어 하는 내용이 이미 적혀 있었고 셀카를 보니 내가 찍은 게 맞는 것 같은데...? 이게 무슨 일이란 말인가. 몰래카메라? 그럼 보이지 않는 벽은 뭐야? 지금의 내가 확인한 바로는 1층과 2층 사이에는 투명한 벽이 없다. 대신 2층과 3층 올라가는 사이에 그런 벽이 있다. 혼란스럽다 이것은 사악한 마법사나 외계인의 실험인가? 난 둘 다 안 믿는데. 이제 그 믿음을 고쳐야 하나? 일단 보이지 않는 벽에서 뭔가 사건이 있었으므로 여기 기록해 둔다.

2층과 3층 사이의 벽에서 이런저런 시도를 하다가 뭔가가 내 소매를 잡았다. 깜짝 놀라서 뿌리쳤는데 투명인간이 벽 너머에 있는 것 같다. 그렇게 그 너머에 있는 누군가와 알 수 없는 교감을 하던 도중 벽에 관한 몇 가지 사실을 알게 되었다. 사람은 경계를 넘을 수 없고 옷이나 종이 뭐 이런 것은 2~3층 사이를 오고갈 수 있다는 것. 소통을 시도했다. 그 내용은 다음과 같다.

3층 : 그대는 투명인간인가?

2층 : 아닌데? 그러는 그쪽이 투명인간 아닌가?

3층 : 나도 아니다. 일단 내 이름은 BBB다. 23세 E대학을 다니고 있다.

2층 : 이런! 나잖아? 당신은 '나 자신'인것 같다. 나도 BBB다. 23세 E대학 다닌다. 혹시 미래의 나인가?

3층 : 내가 비상구에 들어온 후 위층으로 올라가려고 했는데 3층~4층사이에 이것처럼 보이지 않는 벽이 있었다.

다시 내려가려고 하니 2층과 3층 사이에 벽이 생겨 버렸다.

2층 : 나는 위층으로 올라가니 2~3층사이에 벽이 있었고 지금이 된 것 같다. 미래에서 왔는지 아닌지는 폰의 메모를 보면 알 수 있을 것 같다. 혹시 스마트폰 메모장을 본적이 있나?

3층 : 봤는데 아무것도 없다....심지어 메모 작성버튼이 먹통이다. 그런데 메모장을 보면 알 수 있다는 것이 왜 그런 것인가?

2층 : 아무것도 없다고? 당신 진짜 나 맞는가? 내 폰에는 있는데? 그렇다면 지금 주고받는 메모장 말고 가방에 노트를 꺼내서 나한테 있는 폰메모를 옮겨서 넘기겠다.

3층 : 메모를 보니 음... 기억은 안 나지만 넌 과거의 내가 맞는 거 같다. 상황과 맥락으로 볼 때 어떤 조건을 충족하면 다음 층이 열리는 것 같다. 열리면 제한적인 기록만 남고 우리의 기억이나 시간이 리셋되는것 같다. 만약을 대비해 가능한 대로 수첩과 폰 메모장 둘을 다 이용하여 기록하고 메모하는 것이 좋겠다.

-2017년 3월 2일 6시에 저장됨-

4층에 오고 나서 수첩에 있는 메모를 모두 읽고 나니 폰에 있어야 할 똑같은 내용의 메모가 없다. 3층에서 갑자기 폰의 기능과 메모가 전부 캔슬된 이유는 뭐야? 혹시 이 이상한 현상을 누군가 관리하고 있고 폰 메모를 일부러 삭제했다면? 그럼 노트나 수첩에 적힌 1, 1~2, 1~3층... 에 갇혔다가 다음 층으로 올라가는 '고군분투'의 기록은 무엇인가? 그리고 5층과는 일절 대화가 안 된다. 그 무엇도 주고받기 자체가 안되는 것이다.

-2017년3월2일3시에 저장됨-

1층에서 5층까지는 올라가 지는데 6층이 안올라가진다. 폰 메모를 보니 1층과 1~2층에 갇혀 있을 당시에 쓰던 메모로 추정되는 글이 있었다. 그리고 노트와 수첩을 보니 깔깔한 새거였다. 폰에는 2층에서 3층과 대화한 내용은 있는데 3층과 4층에서 썼던 글이 없고 지금은 5층에 있다. 그리고 아래층과 소통을 했다는데 지금 현재 상황은 1~5층이 연결되어 있다. 그 안에서 내려갔다 올라갔다 정도는 된다는 말이다. 그리고 이번에는 이제까지 없었던 사건이 일어났다. 친구한테 문자가 온 것이다.

친구 : BBB니? 나 엘리베이터에 갇혔어. 어떡하지? 전화는

계속 어디에나 신호만 가고...

나 : 난 건물 비상구에 갇혔어. 근데 너 혹시 메모장 같은데 네가 써놓은 메모 같은 거 있어?

친구 : 아니.

나 : 그럼 지금부터 써. 지금 현재 상황이랑 추정되는 사항 같은 거 말이야. 지금 우리가 대화한 것도 복사해서 메모장에다 붙여넣어. 할 수 있으면 노트에다가도 적어 놓고. 기록할 때 시간 하고 날짜 이런 것도 적어.

친구 : 알겠어. (잠시 후) 다 했어. 그런데 왜?

나 : 다 적어 넣었으면 잘 들어.

(그리고 잠시 연락 두절됨)

친구 : BBB니? 나 엘리베이터에 갇혔어. 어떡하지? 전화는 계속 어디에나 신호만 가고...

나 : 우리가 이전에 대화한 내역을 봐봐 -잘들어 로 끝나는....

친구 : 어? 우리가 언제 이런 이야길 했지?

나 : 이제 네 메모장 봐봐 똑같은게 복사되어 있지?

친구 : 응? 진짜네? 아 잠시만 나 핸드폰 배터리 다됐어! 뭐지? 아까는 99%였는데?

(완전히 연락 두절됨)

-2017년 3월 2일 3시에 저장됨-

이 이후의 1층에서 11층까지의 '폰 메모'와 '노트와 수첩 (종이)'등등 에 적힌 것은 요약해서 첨부한다.

12

11 (폰메모)

10 (종이메모)

9 (폰메모)

8 (자신에게 보내는문자) (종이 메모)

7 (폰메모)

6 (자신에게 보낸 문자) (종이 메모)

5 (폰메모) (문자)

4 (종이 메모)

3 (종이메모)

2 (폰메모) (종이메모)

1 (폰메모)

예를 들어 문자 층에서 벗어나면 문자 내용과 기억이 지워지며 같은 문자층 안에서만 기록을 누적할 수 있다. 다른 곳의 속성도 비슷하다. 친구 덕분에 핸드폰 배터리에

대한 내용이 5층부터 12층까지

기록되어 있는데 항상 98%였다. 지금 12층 비상구에서 메모하고 있다. 옥상이 열리면 옥상에 올라가 볼 생각이다. 노트와 수첩과 입고 있는 옷중 2~3개 정도가 낡고 허름해져 있었다. 시간이 쌓이는 것이 있고 그렇지 않는 것이 있는 모양이다.

-2017년3월2일5시에 저장됨-

옥상에 올라가자 지금까지 12층을 오르면서 기록한 것들이 전부 다 살아났고 그것보다 더 중요한 일은 누군가로부터 기나긴 단체문자가 왔다는 것이다. 내용은 다음과 같다.

안녕하십니까.

저는 b입니다. 이번 사태의 원인을 제공하였기에 사과부터 하겠습니다. 죄송합니다.

저는 8년 전 가족을 잃었습니다. 타임머신을 이용하여 그때로 되돌리기 위해 밤낮으로 연구했습니다. 그러나 결국 실패하여 시공간의 질서를 파괴하고 말았습니다. 하지만 모든 희망을 버릴 순 없습니다.

그 이유를 말씀드리자면, 태어난 지 얼마 안 된 초창기의 우주는 물리법칙이 시시때때로 변하는 혼란 상태였습니다. 제가 연구한 바에 따르면 진화론, 자연선택설 같은 원리는 처음부터 힘이 강했던것 같습니다. 법칙이 적용되는 영역을 복제하거나, 확장하거나, 힘이 세고 쉽게 변하지 않으려는

성질의 물리 법칙들이 다른 약한 법칙들과 경쟁하고 생존하면서 (비슷한 것들끼리는 병합되고 서로 충돌하지 않는 규칙끼리 그룹화되면서) 지금과 같은 어디에서나 일관성 있는 물리법칙을 가진 우주가 되었습니다. 그래서인지 우주는 마치 하나의 유기적 생명체처럼 규칙이 손상되면 자신의 물리법칙을 재생하고 회복하는 능력이 있습니다. 이것은 자연스러운 일입니다.

제가 시간을 되돌린답시고 시공간을 산산조각 내 영원히 반복되는 시간 속에 살고 있으신 분들이 많으실 겁니다. 우주의 재생능력으로 단절된 시공간이 조금씩 붙게 되고, 공간에 따라 시간이 누적되는 영역과 사물이 늘어나고 있습니다. 희망을 버리지 마세요.

이 문자 메시지는 단순한 메시지가 아닙니다. 받는 즉시 시공간의 재생능력을 강하게 활성화합니다. 지금 살아계신 분들, 신체나 정신에 너무 많은 시간이 누적되어 돌아가신 분들 모두에게 다시 한번 죄송합니다. 다시는 이런 일이 없을 것이며 우주가(최소한 지구가) 다 회복되면 벌을 달게 받겠습니다. 문자 받으셨으면 답장 부탁드립니다.

-2753년 3월 9일-

숨겨진 세계

숨겨진 세계

어릴적 오락실에 있는 어떤 오락기는 캐릭터 선택할 때 '랜덤'에 커서를 놓고 특정 버튼을 정해진 박자로 누르면 숨겨진 캐릭터가 나오는 재미있는 기능이 있었더랬다. 그게 너무 인상적이었던지, 처음으로 백화점에 갔던 날 백화점을 돌아다니면서 구조를 거의 다 파악해 갈 때쯤 이상한 점을 발견했다. 에스컬레이터로는 지하 1층까지밖에 못가는데 어떤 엘리베이터는 지하 2~5층까지 갈 수 있게 되어있고 '지하 2~5층은 운영하지 않는다' 라고 되어 있었다.

나는 무슨 '지하 2~5층에 숨겨진 마법의 상점에서 몰래 마법도구를 마법사에게 파는 건 아닐까' 하고 혼자서 막 상상의 날개를 펼쳤다.

그러나 알고보니 주차장이었다.

게임이면 몰라도 현실은 그런 환상적인 비밀 같은 것은 숨겨 놓지도 않는다는 것을... 고등학생 때 주말에 도서관 독서실 자리를 잡으려다 그 어릴 적 환상이 나를 유혹했다.

분명 1~100번까지 모든 번호가 좌석에 붙어 있어야 하는데 77번만 없었다. 만약 있다면 창문을 넘어서 허공에 있어야 하는 상황이었고.....

물론

책상에 번호스티커 붙일 때 깜박 빼먹을 수도 있을지도 모른다.... 그런데 진짜 책상이 99개라면 100번이 없는게 자연스럽지 않을까?

좌석을 신청하는 컴퓨터 배정시스템에는 1~100번이 모두 존재한다. 매일 와서 보면 77번은 아무도 선택하지 않는다. 없는 자린 줄 아는 것이다.

나는 76번에 앉아서 창문 밖을 한 1분 정도 쳐다보다가 수학의 정석을 보며 딴생각 말고 공부를 했다. 다음날 아침 일찍 도서관 독서실로 갔다. 문은 열려 있지만, 아직 나 혼자밖에 온 사람이 없었다. 어차피 자리는 많으니 아무 자리나 고른다는 게 그만 77번을 고르고 말았다.

4초 있다가.... 내가 지금 무슨...?

하고 깜짝 놀랐다.

다시 좌석을 바꾸고 76번으로 앉으려다 문득 77번이 있어야할 창가 너머로 가고 싶다는 생각이 들었다. 창문쪽으로 갔다.

에이 무슨 바보 같은 생각인가? 창문에 노크하는 것처럼 두드려본다. 어릴 적 오락실에 있던 그 랜덤속 숨겨진 캐릭터 뽑을 때처럼.......

똑똑똑 똑똑똑 똑똑똑똑똑똑똑

그러자 창문 밑의 벽에 갈라진 틈 사이로 종이가 한 장 삐죽 나왔다. 내용은 이러했다.

마법상점 입장권

www.qqq.store...

■ 장 소 : QQ백화점 지하 2~5층

※ 주차장 아닙니다.

본사 홈페이지에 나오는 대로 따라 하시면 입구가 나옵니다.

■ 행 사

* 지력상승포션 10%할인행사

* **12@** 이상 구매시 머피의 망토 사은품 지급

쿠폰 사용기간 : 2019년 13월 47일까지

P 의 비극

P 의 비극

잠에서 깨어났다.

도로 한복판에서 편안하게 잘 수 있었다는 것보다 더 이상한 것은 끝을 알 수 없는 정적과 바닥에 나뒹굴고 있는 신문지, 내 앞의 거대한 빌딩, 좌측 멀리 보이는 아파트, 그리고 저기 이상하게 생긴 탑...

그림자가 어째서 은색이지?

하늘은 깔끔한 흰색인데 구름이 완전히 덮었는지 원래 흰색인지 헷갈린다. 바람도 불지 않는다.

아무도 없다.

"누구 없어요?"

"누구 없어요?"

"누구 없어요?"

메아리가 울린다.

오늘 무슨 날인가... 딱히 떠오르거나 생각나는 것이 없다.

오늘은 몇월 며칠 무슨 요일? 알 길이 없다.

혹시 인류 대 재앙이 덮쳤고, 우연히 살아남았다면? 그것을 내가 기억해야 하는 거 아닌가? 일단 사람을 찾아서 물어봐야겠다. 그 사람도 모를 수도 있지만, 지금보다는 상황이 좋아지겠지.

좀 더 멀리 가기 위해 탁- 트인 직선도로를 걷는다. 차가 오면 어쩌나 하는 생각 따위 들지 않는다.

이상하게도

번화가라서 그런지 상점은 많았으나, 죄다 불이 꺼져 있다. 손님도 없다. 신호등은 눈을 감고 시커멓게 잠들어 있다. 버스 정류장은 홀로 외로이 서서, 오지도 않는 버스를 계속 기다린다. 주말에 실수로 학교 가서 교실에 가만히 앉아있을 때 그 느낌과 비슷하다. 그 공허한 느낌이 이 세상 전체에 골고루 퍼져 있다.

걷고

걷고

또 걸었다.

계속 걷다 보니 힘이 빠지고, 눈의 초점도 흐려지고, 기계처럼 그렇게 변해가고 있었다. 구름이 이동했는지, 내가 이동했는지, 노을이 지는지, 밤이 오는지,

다시 아침이 오는지...

컴퓨터학원 이라는 글자가 눈에 들어온다.

컴퓨터_인터넷_사람=물어볼 수 있다.

계단을 올라가서... 간판이 2층에 있다고 했으니까, 분명 여기가...

덜컹

불을 켠다.

모든 모니터 화면이 먹처럼 검고 해서, 일단 전원을 켠다.....

왜 안 켜져?

컴퓨터를 한 대 쳤다.

뜻

....컴퓨터 왼쪽 위에 커서가 하나 깜박거린다.

아무 말이나 타이핑해 본다. 그 다음 엔터를 누르면 되는건가?

I : 뭐지?

...I?

P : 뭘까?

채팅하듯이 답변이 있어서 심장이 덜컹했다. 이 모든 미스터리에 대한 실마리가 이 녀석에게 있는 것이다.

I : 누구시죠? 어디에 있습니까?

P : 한 번에 한 가지 질문만 하는 것이 어떨까요.

I : 누구십니까?

P : 저는 P입니다.

I : 이름은 없나요?

P : 가르쳐 드릴 수 없습니다.

I : 왜요?

P : 설명하기 힘드네요.

I : 어디에 있어요?

P : 무엇이 말인가요?

I : 당신이

P : ?

I : 아니 P씨는 지금 어디에 계시나요?

P : 그건 말씀드릴 수 없습니다.

말해줄 수 없어? 누가 못하게 하나? 분명 이놈은 뭘 알고 있구나!!! 이제 딱 걸렸다. 막 질문 공세를 퍼부어 봤다.

오늘이 며칠이냐 세상에 무슨 일이 있었느냐

기억이 나는 것이 하나라도 있느냐

... 그러나 P는

'말씀드릴 수가 없습니다.' '저도 모르겠습니다.' 만 반복했다.

I : 당신 말고 주변에 다른 사람은 없습니까?

P : 없다고 봐야겠지요.

없다고 '봐야겠지요' 는 뭐야?

그런데... 대화하면 할수록 어떤 위화감이 든다.... 마치 P는.....

I : 제가 두 줄 전에 무슨 이야기를 했는지 기억하세요?

P : 그럼요!

I : 그럼 맞춰 봐요.

P : 싫은데요.

I : 혹시 채팅창 전체가 안 보이세요?

P : 아닐걸요?

슬슬 열받는다.....

I : 혹시 장애인입니까?

P : 누가요?

설마

I :   5

I :   4

I :   3 다음 숫자는 뭐죠?

P : 4

키보드에서 손을 뗏다.

....

그 후 몇 차례 더 실험해본 결과 점하나 다르지 않은 같은 질문을 계속하면 똑같은 대답을 100번이면 100번 1000번이면 1000번 글자 하나 안 바꾸고 무한대로 계속했다. 2줄 전을 전혀 기억하지 못한다. 인정하기 싫었지만, 서서히 하나의 결론에 도달했다. 이 녀석은 살아있는 사람이 아니라...... 내가 던진 질문의 구조만 파악해서 적당히 대답하는 척하는 매우 단순한 인공지능프로그램인 것이다.

속았다는 사실에 대한 분노보다 허무함이 좀 더 컸다.

이 말도 안 되는 세상은 대체 무엇일까?

더욱 놀라운 광경은 건물을 나오자 펼쳐졌다. 마취총을 든 무장한 군인들이 나를 둘러싸고 방아쇠를 당기려 하고 있었다. 그리고 흰 옷을 입은 대장처럼 보이는 여자가 이렇게 말했다.

"실험체 a-1이 이제 막 실험을 끝낸 모양입니다. 얼른 회수하고 결과보고 하도록 하겠습니다."

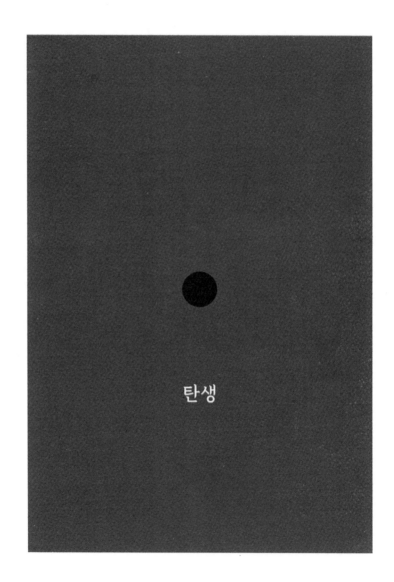

탄생

탄생

여기는 아주 어두운 곳.

너무나 익숙한 우리들의 세상이다. 나는 하나의 점이다.

이 세상은 가끔 흔들린다.

최근에는 흔들림이 없어서 안정된 상태라고 믿었다.

그러던 어느 날

검은 하늘이 세로로 갈라졌다.

이제까지 만나본 적이 없는 빛이라는 존재를 보며 나는 이곳이 세상의 전부가 아니라는 사실을 깨닫는다.

그 사실을 깨닫는 순간 우리의 세상이 흔들린... 기울고 있다? 저 빛이 우리를 빨아들이려 한다! 나와 친구들은 빛 속으로 모조리 빨려 들어가고 말았다.

오랜 시간 어둠 속에 있어서 빛의 세상에 적응이 안 되었는지 앞을 볼 수가 없다. 아래에 있는 친구들은 뜨겁다고 난리다. 뜨겁고 움푹한 바닥 위에 우리는 모여 있고, 나는 정체를 알 수 없는 그 어떤 존재의 따가운 시선을 느꼈다. 이제 슬슬 앞이 보이기 시작할 무렵 뜨거운 뭔가가 나를 집게로 집어 올리듯이 양쪽에서 눌리더니 바람을 가르며 허공을 이동했다. 아니 이동 당했다. 다른 친구들은 어떻게 될까? 어둡던 세상이 그립다.....

정신을 차려 보니 어떤 구멍에 빠져서 있다. 이제 빛은 위에서 원 모양으로 존재하게 되었다. 아까부터 이상한 촉각 때문에 바닥이 신경 쓰였는데 암흑세계의 바닥하고 너무 달랐다. 얼마 후 빛이 들어오는 곳으로부터 바닥과 같은 뭔가가 나를 옴짝달싹 못 하게 쏟아졌다. 익숙한 어둠이 찾아왔다. 반가울 겨를도 없이 이제까지 경험한 적이 없는 몹시 이질적인 것이 내 주변을 가득 채웠고, 내 몸 안으로도 스며들어 왔다.

지금껏 의식하지 못했던, 어떤 가능성이 나타나기 시작했다.

새로운 존재가 되는 것이 느껴졌다.

며칠 후

심었던 씨앗에서 싹이 움터 올랐다.

세로로 갈라진, 씨앗상자에 인쇄된 글자는...

어디에나 있는 삶

어디에나 있는 삶

거의 대부분의 존재가 그러하듯 나도 경계의 존재다.
새카맣게 앞이 보이지 않는 안개와 투명한 공간 사이에서
발생하는 대립으로 인하여 나는 삶을 시작하게 되었다. 출생
신고를 '좌표값'으로 규정하고 인생을 시작하였다.
공간과 공간의 틈새를 파고들며 인생의 선택을 했다.
여러 가지 크고작은 선택들은 건물 사이사이로 길이 있는
것과 비슷했다.

초등학교에서 말과 글로 배웠던 고대의 존재 '엘브스', '메카
번'등등...
이들은 공룡처럼 현실감이 없긴 했지만, 최소 한때 우리와
동일 종이었던 것은 맞다.
그러나 근원적으로 다른 종족을 만난다면 이것은 두가지 반
응을 가정해 볼수 있다.
신기하거나, 뭔지도 모르거나.

선택지가 하나가 아닐 때, 고민을 하기보다는 존재를 두 개
로 나눈다. 분신술이라고 봐도 무방하다.
아무튼 이렇게 여러명이 되고난 후,
잠깐 함께 다니다가 이제는 영영 만날일이 없어진 분신 '그'
에게 들었던 이야기를 떠올려 보면,
**"우리가 길이라고 생각하는 곳을 제외한 벽 너머는 아마 시
맨트 매질인 것 같다. 중간중간에 굵은 돌들이 있는 것 같은
데 구슬처럼 생긴거 같다."**
(아무리 우리하고 아무상관이 없다고는 하나, 이것은 우리
삶에 있어 풀리지 않는 궁금증이었다.)

내가 볼때도 일단 최소 '벽과 같은 재질인 시맨트'로 여백없이 매꿔져 있는 것은 분명하다.

중간중간에 있는 정체불명의 '그것'. 내가 느끼기에는 '빵에 박힌 건포도 같다'랄까.

물론 그거보다는 말랑하지 않으니까. 그 친구 이야기 듣다보면 '구슬'이 대충 적당하긴 하다.

그러던 어느날 지속적으로 존재의 파장을 펼쳐 주변을 지각하던 도중,

그때 그 친구가 구슬이라고 불렀던 그것, 벽 안에 있던 존재와 대화 비슷한 것을 하는데 성공한다.

처음에 대화가 어려웠던 이유는

내가 '벽'이라고 부르는 공간을 *'이 존재'는 집이라고 부르며*
= 어떻게 벽을 통과하며 다니냐고... 유령이냐고...

오히려 내가 지나다니는 '길'을 막혀있는 벽이라고 불렀다.
=어째서 상자도 아니고 가득차서 딱딱한 '바위 안속'을 텅 비어있다고 부를수 있냐고...

좌우간 나보다 나이가 많은 존재임은 분명했다.
대화를 하던 도중 아주 흥미로운 이야기를 듣게 되었다.
살짝 지루하고 삭막했던 참에 잘된 것 같아서 더 물어보았다.

'취업을 하는 것은 끝이 아니라 시작이듯', 내 삶도 지금 이렇게 반복적인 과정을 끝내면
새로운 것이 가득한 신세계를 만나게 될거라는데....?!

나 : 그게 어디죠?

구슬? : 거기는 '땅' 이라고 불린단다. 여기에는 '인간'이 살고 있는데, 너의 1000년 넘는 한평생이 그들에겐 1초도 채 되지 않는다.

나? 그런 신기한 곳도 있나요?

구슬? : 언젠가 도달하게 되겠지. 너와 비슷한 모든 존재가 최종 도착하게 되는 곳이란다.

나도 도착지는 다르지 않아. 우리가 벽이라고 부르는 것들도 '땅'에 비하면 그냥 '없는 것'과 같다.

인간들은 우리 '물방울'들을, '비'라고 부르며,

너를 '번개'라고 부른단다.

선인장

선인장

선인장처럼 생긴 그것이 처음 나타나서 자라나는데 걸린 시간은 1주일 하고 4일이었다. 원래 'Roto타워'가 들어설 자리였는데, 공사를 막 시작할 때쯤 갑자기 나타나 쑥쑥 자라더니 원래 계획했던 'Roto타워'만큼 자란 것이다. 일부 사람들은

"Roto에서 500층이 넘는 타워를 짓는다던데... 뭔가 디자인이 심상치 않다."

"공사속도가 놀랍다. 중간에 지진도 났는데 왜 그렇게 급하게 밀어붙였는지 물어보고 싶다."

등등의 이야기가 인터넷에 올라왔고 Roto 측에서는 회의 끝에 진실을 말하기로 한다.

"저의 Roto가 지은 건축물이 아니라 스스로 자라난 것 같습니다."

그리고 바로 그때 선인장처럼 생긴 몸체에서 잎사귀 같은 것이 돋아났다. 지켜본 사람들의 묘사를 보면, 마치 사람이 눈을 뜨는 것 같았다고 한다. 그리고 사람들은 그 잎을 보면 아주 강력한 신성함과 기쁨, 행복 등의 긍정적인 느낌을 받았다. 놀라운 것은 선인장을 묘사한 그림이나 직접 찍은 사진을 보면 딱히 심미적이지 않다. 외계에서 온 기이한 생물의 모습을 하고 있었으니까. 그러나 실제로 보면 생각이 달라지는 것이었다. 쳐다보는 것만으로도 근원을 알 수 없는 위로를 주었다. 사람들의 그 느낌을 증명이라도 하듯, 그 선인장과 직, 간접적으로 관련된 특정 일들이 끊임없이

일어났다. 전부 미신이나 루머정도의 수준이었지만, 언론을 타고 이슈가 되기에 충분했다.

자살을 시도하려던 스타A양은 하필 선인장 부근의 건물에서 투신자살을 시도했는데 선인장의 잎을 보고 다리에 힘이 빠졌다.

결국 뛰어내리지 못했고 경찰들이 무사히 구출했다. 이후 영화에서 볼법한 권선징악적 해피엔딩으로 이어졌다.

시간이 지날수록 선인장과 관련된 이상한 일들이 누적되던 중, 과학자들이 연구 목적으로 선인장 몸체의 샘플을 채취하려 했다. 연구를 시작하기도 전에 '그 선인장에 손대지 말라'는 듯, 자연과 그 모든 '우연의 일치'가 막았다. 한겨울인데 태풍이 오는 것은 물론 각종 불미스러운 일과 위험한 사고가 끊이질 않았다. 드디어 선인장을 일부러 건드리는 실험까지 한 결과 '그 선인장을 연구하거나 건드리는 행위가 불행을 초래하는 가장 확실한 방법'임이 증명되어버렸다. 역시 예상했던 대로 선인장에 대한 신흥종교가 나타났고 Roto는 이 하늘이 주신 기회를 놓칠 수 없었기에 선인장은 더욱 철저하게 보호되었다.

결국, 영원히 풀리지 않는 수수께끼로 남게 된다.

먼 우주 저편, 선인장을 만든 그것들의 대화 내용을 지구인이 이해할 수 있게 번역하면 다음과 같다.

"지구에 심어둔 장치는 잘 작동하는가?"

"예."

"세부적인 보조 프로그램 포함해서 보고해봐."

"무의식 유도, 긍정적 이미지 형성을 위한 사건 유도 장치, 생각의 현혹, 환경조절장치... 잘 작동합니다."

"다행이네."

오늘도 사람들은 선인장을 본다. 그 뒤 있는 뭔가가 자신들의 영혼을 조금씩 빨아 들이고 있는 것은 꿈에도 모른 채.

민들레

민들레

오늘은 그의 가장 친한 친구의 생일이라서 그 친구 집에서 파티하기로 했었다. 불길한 예감이 든다. 뭐 별일 있으랴?

아이는 친구의 집에 도착해서 다 같이 생일축하 노래를 부르고 케이크를 먹었다. 그리고 열심히 장난감으로 시간 가는 줄 모르고 놀았다. 시간이 지나면서 하나둘 집에 가고 이제 아이와 생일파티의 주인공만 남게 되었다. 아이는 문득 이상한 느낌이 들었다. 마치 만화영화를 다 보고 밖으로 나오는 것처럼. 세상이 만화영화가 끝나듯 끝날 것 같았다. 고작 생일파티가 끝났을 뿐이다. 아이는 평상시 습관처럼 간혹 멍해지는 순간이 있다. 주변 환경이 눈에 들어왔다.

친구 집이라는 허허벌판에 로봇 장난감들은 노는 사람이 주는 생기를 잃어 여기저기 널브러져 있었다.

문득 뜬금없이 어른들의 대화내용이 생각났다. 환경오염에 관한 것이다. 아이는 환경오염은 공장의 기계나 로봇들을 쓰고 정리 정돈을 안 한 것이 아닐까 하는 생각을 했다. 그리고 이제 만화영화는 끝나고, 다음 시청자들을 위해 치우는 것이 좋겠다는 생각이 들었다. 그 아이는 친구와 함께 로봇 장난감을 제자리에 옮겼다. 각자 상자에 넣고 뚜껑을 덮어 주었다. 끝까지 도와줄 수는 없었다. 밤이 되었기 때문이다. 친구는 원래 자기가 해야 할 일을 도와줘서 고맙다고 했다.

역시 생일파티가 끝났다고 해서 갑자기 죽거나 세상이 끝나지는 않았다.

집으로 돌아가는 길에 문득 친구네 집을 떠나기 전에 살짝 뒤돌아본 풍경이 떠오르면 그냥 놀기만 하고 돌아간 다른 친구들의 매정함이 그 아이를 우울하게 했다. 그 자리에 앉았다. 주저앉은 그 아이는 자신 앞에 민들레가 하나 피어 있다는 사실을 발견했다. 아스팔트 바닥과 얼룩얼룩하고 금방 무너질 것 같은 벽 사이에 일말의 흙이 있는 모양이다. 그렇게 한참을 바라보다 집에 갔다. 어머니께서는 오락기 옆에서 동네 형들이 게임을 하는 거 구경했냐고 꾸중을 들었다. 아무 말도 하지 않았다.

두 번째로 민들레를 찾아가기 전, 친구하고 토끼풀밭에서 네잎클로버를 찾았었다. 그는 끝내 찾지 못했지만, 친구는 하나 찾아냈다. 그것을 뜯어서 책 속에 넣어 갔다.

이모 졸업식 날은 장미꽃다발을 들고 갔었다. 다른 사람들도 졸업축하하기 위해 각양각색의 꽃다발을 들고 있었다. 이모에게 준 꽃다발은 졸업식이 끝난 후, 이모의 집 벽에 매달려 서서히 말라갔다. 말라가는 장미를 본 것이 민들레를 세 번째 찾아간 이유였다.

어린아이들은 꽃이 예쁘면 꺾어서 자기가 가진다. 목걸이를 만들기도 하고 반지를 만들기도 한다. 매우 자연스럽고 이상할 것이 없는 모습이다. 그러나 그 아이에게는 의미가 달랐던 모양이다. 그 아이는 그날도 민들레꽃 앞에서 말없이 시간을 보내다 왔다. 그가 그날 무슨 생각을 했고 혹시 그날

꽃과 무슨 말을 나누었는지, 아무도 몰랐다. 우울한 기분이 들 때마다 민들레꽃에게 가서 시간을 보냈고, 어느덧 계절은 바뀌려 하고 있었다.

얼룩얼룩하고 금방 무너질 것 같은 벽을 보수공사 한다는 소식을 부모님의 대화를 듣다가 우연히 알게되었다. 당장 그 벽으로 달려갔다. 전력질주를 했는지 옆구리가 아팠다. 벽의 상황을 보자 아이는 불안해졌다. 민들레 바로 옆에 모래가 잔뜩 쌓여 있었고 공사하는 아저씨의 부주의로 인해 모래로 덮어 버릴 것만 같았다. 일단 아파트의 분리수거 함에서 작은 종이박스 하나를 구해왔다. 조금 잘라 민들레가 들어갈 수 있게 해서 씌워 놓았다. 매일 와서 확인하려 했으나 공사는 그게 끝이 아니었다.

아이는 매일 악몽을 꿨다.

대대적인 공사가 끝나고 출입이 가능해지기까지 정확히 얼마가 걸린 것은 몰랐다. 그 아이에게는 무척 긴 시간이었고 공사가 끝나 출입이 되자, 바로 찾아갔다. 상자가 그대로 덮여 있었다.

공사하는 아저씨들이 어떤 아이 하나가 민들레를 종이박스로 덮어 놓는 것을 지켜보면서 무슨 생각을 했는지 또 어떤 마음이었는지 여기까지는 생각이 미치지 못했다.

조심스럽게 상자를 열었다.

상태가 달라서 좀 당황했지만 이내 안심했다. 민들레는 하얀 씨앗을 머금고 있었다. 그 아이는 민들레 줄기를 꺾었다. 이것은 네잎클로버나 꽃을 꺾는 것과는 다른 것이었다. 먼저 근처에서 민들레 씨를 조금 불었다. 아직 흙이 있는 곳을 찾으려 했다. 텃밭에도 조금 뿌리고, 또 인도에 나무 심어놓은 곳에도 좀 뿌렸다. 하지만 뭔가 안심이 안 되었는지 산 쪽으로 걷기 시작했다.

아직 사람의 손길이 닿지 않은 먼언 곳으로....

Live in a Fantacy World

Live in a fantasy world

내가 없을 때 다른 사람이 혹은 다른 사람들이 내 이야기를 하는 것을 우연히 듣는다면 기분이 묘할 것이다. 여기다 그 대화를 다 이해하지 못하면 그 뒷맛이 개운치 않을 것이다. 그들의 대화는 이랬다.

"'눈'이 매일 따라다니는 친구들은 삶이 어떨까요? (a)"

"지겹겠죠. 아마. (b)"

"고통당하는 친구들도 많대요. (c)"

"파란 옷 입은 그 친구는 이번에도 이전 삶의 기억이 없나요? (a)"

"네. (b)"

"그럼 '신참'이네요! 우리가 사는 세상에 관해서 우리가 아는 것을 그에게는 비밀로 하는 게 어때요? (c)"

"오 그거 재밌겠는데요? (a)"

"잠깐만요! 그러다가 '눈'이 있는 곳에서 사고 치면요? (b)"

"우리가요? (a, c)"

"아뇨. 그 파란 옷 입은 친구가요. (b)"

"그게 가능은 할까요? (c)"

"역시 한번 실험해 보는 것도 나쁘지 않을 것 같아요. (a)"

...

대화 내용이 이해가 안 되는 건 내가 전생의 기억을 못 하기 때문인가? 그리고 그 '눈'이란 것은 뭘까? 일단 속는 척하면서 상황을 지켜보자. 그들이 앉아 있는 곳으로 막 도착 한 척하자,

"안녕하세요. 환영합니다. '파란 옷 입은 그 애'님. (a, b, c)"

"안녕하세요. 혹시 여기가 어디예요? (파란 옷)"

"...대략... 판타지 월드? 됩니다. (b)"

"아침에 방송 나오는데 들으셨나요? 초반에 나오는 방송 들으면 쉽게 상황 파악이 됩니다. 왜 '눈' 근처에서 잘 들리는 그... (c)"

c는 아차! 하는 표정을 지었고 나는 이때를 놓치지 않았다.

"그 '눈' 말이죠, 다른 사람들도 막 그 이야기 하던데 그 '눈'이란 거 대체 뭐죠? (파란 옷)"

"저희도 그냥 대충만 알고 있어요. 신이 만든 규칙 뭐 그런.... (b)"

"추측이 난무하지만, 확실한 것만 이야기할게요. 그 '눈'의 시야에 들어가면 정해진 행동을 하게 됩니다. 꼭 해야 할 것 같은 느낌도 들고. (c)"

"그게 어떤 행동이죠? (파란 옷)"

"그건 때와 장소에 따라 달라요. (a)"

"어디를 가면 볼 수 있어요? (파란 옷)"

"일단 제가 아는 건 지금이 2634년 12월 1일이니까. 로스앤젤레스로 가면 3시간 후에 만날 수 있어요. 근데 한 13초 정도 나타났다가 사라질 거라서 더 보려면 뉴욕에 있는 파인 레스토랑에서 12월 5일 날 10시까지 기다려야 합니다. 10분 정도 보고, 다시 2635년 12월 2일에 일본 도쿄타워 근처에서 9분 정도 나타나요. 그런데 여긴 위험해요. 총 쏘고 막 죽고 그러거든요. 그 나머진 잘 몰라요. (a) "

"설명하는 것보다 눈으로 보는 것이 더 낳지 않을까요?

지금 뉴욕으로 가요! (c)"

"참나 c님, 님이 파인 레스토랑에 볼일 있으니까 '눈' 이야기 하면서 우릴 끌어드리는 건가요? (a)"

"그럼 뭐 어때요? 아차피 님들 지금 뭐 마땅히 할 거 없잖아요! (c)"

"전 도쿄에 볼일 있잖아요. (a)"

"뉴욕에서 도쿄까지 얼마나 된다고.... (c)"

...?! 엄청난 거리 아닌가?

"타임머신이나 순간이동 장치가 있는 거군요? 판타지 세계라고 하신 게 그 뜻이죠? (파란 옷)"

내가 이렇게 말하자 abc는 잠시 침묵했다.

...

그리고 a가 말했다.

"아마 우리 세상에서 가장 신비롭고 이상한 존재는 이 파란옷 입은 친구일 거야! (a)"

그리고 abc는 다같이 껄껄껄 웃었다.

결국, 그런 의미의 판타지는 아니었지만 아주 특이한 경험을 하게 된다.

"자 이제 뉴욕으로 갈까요? (a)"

"D가 올 때가 되었는데... (b)"

"D? D는 누구죠? (파란 옷)"

"D는 뉴욕, 도쿄, 로스앤젤레스 모두 볼일이 있는 친구예요. 이 친구가 일종의 '어디로든 문'과 타임머신이죠! (c)"

"다들 여기 있으셨군요? (D)"

"안녕하세요. (all)"

D와 나는 서로 소개받고 인사를 나눴다.

"일단 앞으로 우리가 겪을 일을 설명한다면 사물을 관찰하기 전에는 그 존재가 정해져 있지 않다가 관찰하면 그때 하나로 확정 됩니다. (D)"

"자 파인 레스토랑까지 얼마 남았죠? (a)"

"8초 남았네요.. 6초... 5초..."

어이없게도 그러더니 그냥 도착했다. 한국에서 뉴욕까지... 뭘 탄 것도 아니고... 가만히 서서... 파인 레스토랑은 제법 근사한 식당이었다.

"일단 '눈'에 띄지 않는 사람들이 여기에 존재하려면, (어디를 가든 거기에 존재하려면) 파란옷님의 인과적 흔적을 남겨야 존재증명이 되어서(눈이 보고) 확정이 되거든요? (D)"

"예? 그, 그게 무슨 말이에요? (파란 옷)"

"언젠가 '눈'이 보는 무엇인가를 본인 손으로 직접 정해진 장소에다가, 눈이 보기 전에 슬쩍 가져다 놓는다거나, 뭐 그런 거죠. 그렇게 하면 '눈'이 직접 보지 않았던 사람이 근처에 존재할 자격을 얻을 수 있어요. (자격이라는 표현은 좀 이상하군요.) (D)"

"잠깐 저 물컵 위치가 최종세팅 상태와 비교했을 때 좀 다르지 않나요? (a)"

"그렇군요. 파란 옷님 저 물컵 좀 13번 테이블로 옮겨주세요. (b)"

나는 시키는 대로 했다. 얼마 후. '눈'이... 나타났다... ?

나로서는 그들이 '눈'이 나타났다고 알려준 게 다. 그냥 평상시와 다를 것이 없었다. 굳이 무슨 일이 있었냐고 누가 물어본다면내가 옮겨놓은 물컵이 있는 자리에 어떤 커플이 앉더니 이야기하다가 분위기가 안 좋아 졌다. 여자가 남자 얼굴에 물을 뿌렸다. 여자가 밖으로 나갔다. 그리고 잠시 후 남자도 따라 나갔다.

별일이 있었다고 한다면, 이게 다였다.

그들이 가고 난 후 abcd는 역시 '눈'은 뭔가 거부할 수 없다며 감탄사를 내뱉었다.

"그럼 '눈'이란 건 아까 그 커플을 말하는 건가요? (파란 옷)"

"그럴 때가 있을 수도 있죠. 전문가에 말에 따르면 이번에는 창문 밖에서 유리창 안으로 들어왔어요. 마치 커플을 지켜보는 것처럼. (c)"

"그럼 c님과 D님은 볼일이 있으시다고 하셨는데 다 보셨나요? (파란 옷)"

"네 이제 레스토랑에 볼일 없어요. (c, D)"

"뭐를 하려고 하셨죠? (파란 옷)"

"눈이 잠시 우릴 봤어요. (c)"

....

"그게 다예요? (파란 옷)"

"네. (c, D)"

....

"웃기죠? '눈'에게 한번 보이려고 한국에서 뉴욕까지 오게되요. (a)"

"그래서 얻는 것이 뭐죠? (파란 옷)"

"존재함을 얻죠. (D)"

....

"이번 생에서는 a, b, 파란옷님과 함께 파인 레스토랑에 왔지만, 저번 생에서는 저하고 D님하고만 와서 여자가 물 뿌리는 거 구경했거든요. 총 구경 횟수는 대략 7번 정도 본 거 같아요."

"그건 그렇고 다들 언제 '눈'이 파란옷 님을 보는지 기억나시나요?"

"혹시 '눈'에 한번도 모습을 안 보이면 이 세상에서 살 수 없나요? (파란 옷)"

"파란옷님께서 이미 그러셨거나 그렇게 될 운명이기 때문에 이 세상에 존재하는 거에요. (a)"

5명이 같이 길을 걷다가 그 옆을 지나가던 e가 파란옷을 보더니 말을 걸어왔다.

"저기요 혹시 도쿄에서 깜짝 놀라시던 그분 아니세요? (e)"

"전 도쿄에 가본 적 없는데요? (파란 옷)"

"이전 삶을 기억 못 하시는구나! 어쩐지! 지금 a씨, D씨, 파란옷님과 제가 30초 안으로 도쿄에 도착 못 하면 어떻하죠? (e)"

"e님도 전생을 전부 다 기억나시는 건 아니신가 보네요.

D님 도쿄까지 카운트다운 부탁드려요."

카운트다운이 끝나자말자 도쿄다. a님의 주장은 거기에 있어야 하니까 올 수 있다고 했다. 그리고 2번이나 신비를 체험하고 나니 이제야 조금 감이 왔다. '눈'의 시야 밖에서는 어느 정도의 자유가 있고 시야 안에서만 철저하게 규칙대로만 움직인다면...

"이제 대충은 알겠어요. 제가 존재하는 이유는, 예를 들어 a님과 다른 분들이 저를 관측하고 '인식'해서고... 그러면 거슬러 올라가서 최초의 관측자가 있겠군요. 그게 '눈'이고요. (파란 옷)"

"이제 좀 감이 오죠? (D)"

"일차적으로 '눈'이 대상을 정하고 '눈'으로 인해 정의된 대상이 다시 다른 것을 관측하면서 이 세계가 만들어지는... 이런 내용 맞죠? 파생된 존재들이 자신을 정해준 관측자의 관측에 맞춰야 하는 상황이 발생하고... 그래서 이렇게 된 거군요? (파란 옷)"

"90%까지 알아낸 듯 하네요. (a)"

"일단 도쿄에 왔고 시간이 되었으니 다들 괴물 조심하세요. 전 제 위치로 가 있을게요. (D)"

괴물? 아 맞다. 아까 총 쏘고 죽고 한댔지.

5초 후

내 바로 옆에서 거대한 괴물이 바닥을 뚫고 나와 옆 빌딩 안을 파고들어 갔다. 나는 깜짝놀라 기절해 버렸다.

눈을 떠보니 숨어있던 abcde가 나와서 나를 부축해 줬다.

"다들 무사하셨군요... (파란 옷)"

"다친 사람도 있기는 있어요. 그런데 '눈'에게 다치는 모습을 보여주지 않을 운명이면 편하게 있으면 되거든요. 그렇게 놀라실 것 까지는... (b)"

"파란옷님이 다치지 않는 위치에 계셔서 안심했는데 많이 놀라셨죠? 알려 드릴 걸 그랬네요. (D)"

"이제 5분만 더 있으면 우리가 살던 우주가 끝나겠네요. 다음 세상을 시작할 때까지 자유가 찾아와요. 그때까지 뭐 하고 놀죠? (c)"

"잠시만요. 저한테 이 세상의 마지막 비밀을 알려주고 끝냅시다. (파란 옷)"

"음... 일단 파란옷님이 추측하기에 이 세상은 뭘까요? (a)"

"누군가가 꾸는 꿈인가요? (파란 옷)"

"(파란옷님이 이번생을 다 기억하셔서 다음생을 살면 더 확실히 느끼겠지만,) 이번삶이 다음삶으로 오직 '눈'이 보는 곳 안에서 똑같이 반복된다고 했죠? 그리고 '눈'앞에서 이전 삶과 다른 일이 일어나게 하려고 하면 어떤 알 수 없는 힘이 방해합니다. 여기까지는 정리가 되셨고... '눈'이 보는 곳 근처에서는 방송 같은 게 들리는데 저희는 이것을

'해설(나래이션)'이라고 부릅니다. (c)"

"네? (파란 옷)"

"상황과 방송의 내용 등을 조합해 볼 때 이 세상은 한 편의 영화인 거 같아요. '판타지 블록 버스터' 정도 됩니다. 우린 이 영화의 엑스트라인 거죠. (a)"

"그럼 '눈'이라는 건.... (파란 옷)"

"'카메라 렌즈 비슷한 거겠죠. 이 영화를 보는 관객들의 눈. (b)"

"책이나 이야기일 가능성은 없나요? (파란옷)"

"책이라면 등장인물의 생김새나 세부적인 요소가 책을 읽는 사람들의 상상력, 경험에 따라, 읽힐 때마다 계속 바뀌겠죠. 디자인의 세부적인 것들은 저번 삶과 싱크로율 100%입니다. 심지어 그쪽 방면의 '전문가' 말에 따르면 '눈'이 나타나는 위치와 시간 이동반경이 1mm도 안 틀리고 이전 삶과 정확히 같아요. 만약에 유리가 깨졌다고 하면, 조각의 모양을 기억했다가 다음생에 와서 비교해 보는순간, 완벽하게 같죠. 그리고 우리 생김새나 모습이 그림체가 아니라 실사잖아요. 순수 사람의 상상력이면 형태나 구조에 모순이 나올 수 있습니다. 눈에게 보이지 않는 장소, 엑스트라의 구체적 자유도 이정도로 세부적일 수 없습니다. 대충 넘어가는 영역, 이 '대충'이 장소에 적용된다고 생각해 보세요. 꿈은 단순히 방문을 열면 숲이 펼쳐지는 정도가 아니라 착시그림처럼 '원근법 어기기'도 가능합니다.(D)"

"이제 10초 후에 올라오겠네요. (a)"

"엔딩 크레딧 말인가요? (파란 옷)"

"네. (c)"

"실제 시간은 영화의 러닝타임으로 계산하는군요. (파란 옷)"

"그렇죠! (b)"

"그럼 엔딩 크레딧 다 올라가고 나서 다시 만나요. (파란 옷)"

네 수고하셨어요.

다음번 영화 상영을 시작하기 전에 우리가 놀았던 일은 하나로 정해진 것이 아니니 적지 않는다.

다음생(영화 재상영)때 이번 삶을 기억한다면 abcde에게는 안 그런 척 해야지!

후훗☆

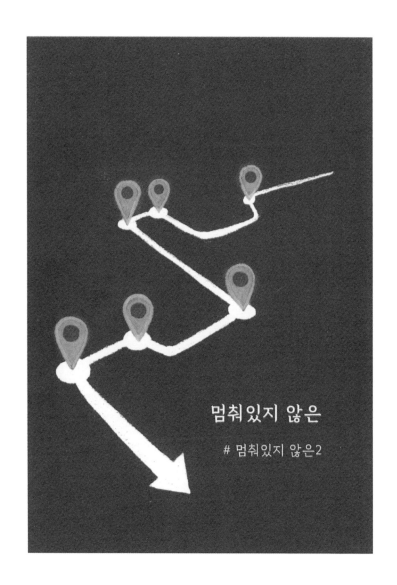

멈춰있지 않은

\# 멈춰있지 않은2

멈춰 있지 않은

원래 사람의 기억이라는 것이 완벽하지는 않다. 초반에는 주변 사람들도 딱히 완벽하게 기억하지 못하는 일은 그냥 '그럼 진짜로 무슨 일이 있었지?' 하고 넘어갔다.

가족들도 친구들도 모두 내가 기억하는 과거 사실을 그다지 믿지 않게 된 것은 11살이 넘어가고 나서인 것 같다. 주변에서 '왜 너는 그렇게 기억을 왜곡해서 기억하니?'라는 내용의 대사를 29회째 듣게 된 것이 한몫 했다. 대부분 내가 꿈하고 헷갈렸거나 잘못 기억한 것 같다고 인정하고 넘어갔다.

그러나 자주 발생하니 이상하게 생각하는 것은 당연했다. 어릴 땐 준비물을 가끔 엉뚱하게 들고 간 정도였고, 바다에서 동생이 해파리에 쏘일 뻔했다는 것을 진짜 쏘였다고 기억한다거나 뭐 그랬다. 분명 그때 바다에서 동생은 진짜 해파리에 쏘여서 아파했고 응급처치하고 병원까지 간 기억이 생생한데 말이다. 얼마 후에 흉터까지 없어지고 '쏘일 뻔했지만 옆에 아저씨가 해파리를 잡아줘서 안 쏘였는데 무슨 소리냐.'고 하는 것이었다.

그러다가 점점 빈도수가 늘어나서, 나도 내 기억을 의심하게 되었다. 메모하는 습관을 길렀다. 그런데 이젠 메모마저도 바뀌는 것 같다...

물론 모든 기억이 다 틀리는 것은 아니라서..... 기억이 틀리는 비율은 한 20~30% 정도. 다행스럽게도 지식 같은 것들은 잘 바뀌지 않았다.

일단 후드티 사건을 언급하겠다. 특정 기억이 현실하고 맞지 않다가 어떤 시간 동안만 다시 맞는 거로 바뀐 적이 있었다. 어느 날 내가 잘 입는 후드티가 목부분을 느슨하게 하는 줄이 엉켜서 벗을 수가 없게 되었다. 벗으려고 시도하다가 살짝 짜증이 나기도 하고 어쩔 도리가 없어서 옷을 아주 살짝 가위로 잘랐다. 그래서 옷의 목 부분에 실로 기운 자국이 남아 있게 되었다. 옷과 같은 색의 실을 찾지 못해 대략 비슷한 색을 찾다 보니 좀 보기 흉하게 되어 버렸다. 그래도 좋아하는 옷이라서 그 후로도 그 후드티를 자주 입고 다녔다.

그런데 어느 순간 기운 자국이 없어졌고 가족들의 기억 속에서도 같이 사라졌다. 심지어 내 일기장에도 내 글씨체로 후드티와는 다른 에피소드가 기록되어 있었다.

사실 이런 일들은 그때 당시 거의 일상이라서 그냥 또 내가 착각했나 보다 하고 넘어갔다. 그러던 중 2011년 7월 말쯤이었을 거다. 그 어느 하루는 갑자기 기운 자국이 생겨 있었다. 가족들도 내 일기장도 그 옷도 모두 다 기억을 살려냈던 것이다. 딱 하루만. 확인차 가족들에게 후드티의 기운 자국에 대해서 이야기를 꺼내 봤는데 '안 벗어 진다고 티를 가위로 잘랐었지.... 잘못하면 크게 다칠 수도 있는데... 성격이 그때나 지금이나 너무 급해서 문제야!' 이랬다. 그리고 그날이 지나자 기운자국은 다시 사라지고 일기장에도 후드티 사건이 사라지고 가족들도 까먹다.

내 꿈이었나? 그런데 꿈이라기에는 그날 그 후드티에 묻은 김치국물자국은 안 없어졌던데?

여기서 지금까지의 표현에 의문이 들 수도 있다. 자기 기억을 신뢰하지 않으면서 왜 바뀐다고 표현하는지? 그 이유는 현실이 내 기억과 달라지는 규칙을 찾았기 때문이다. 그 규칙을 찾고 혼란의 시기를 청산한 것은 19살 때쯤이었다.

규칙이란 특정한 장소였다. 어떤 장소에 가서 특정 방향으로 이동해서 빠져나오면 주변 환경의 과거가 바뀌는 것이다. 무슨 마법인진 모르겠는데 이 장소에서 여러 번 실험을 해본 결과 확실한 것 같고 지금까지 과거가 바뀐 기억을 더듬어서 그날 어디에 갔었나? 하고 생각하다가 3곳을 더 발견한다. 맨 처음 찾은 장소는 고등학교 과학실 복도 계단이었다. 내려와서 오른쪽 으로 가면 동생의 다리에 해파리가 쏜 흉터가 생기고, 동생이 중학생 때 계곡 바위에서 미끄러져서 다리에 금이 간 사건이 일어나지 않은 사건이 된다. 반대로 가면 과거 사실이 다시 돌아온다. 계단하고 동생하고 무슨 관련이 있는지는 모른다. 그 이외에도 여러 가지 것들이 바뀌는 것 같지만, 일단 내가 확인할 수 있는 것은 대략 그 정도였다.

나는 지금까지 내가 틀린 것이 아니라 세상이 좀 이상해서 그렇다는 사실을 알고 나서는, 혼란의 먹구름이 사라지고 햇살이 비치는 느낌이었다.

이 현상을 이해하기 위해 나름의 가설을 만들어 보았다.

현재와 과거 그리고 미래는 직선이 아니라

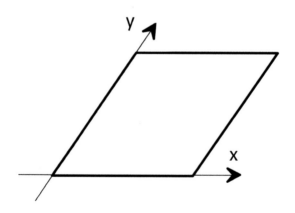

평면이며

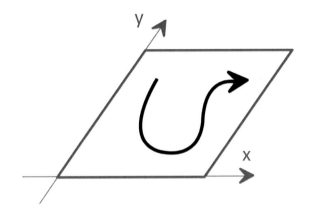

이평면 위에 아무렇게나 연결된 선을 그으면, 그 선을 따라서 그대로 한편의 이야기를 가진 타임라인이 된다.

xy평면 위의 한 점은 마치 멈춰있는 영화의 한 장면처럼 생각하고,

선분이 미분가능하고 연속적이기만 하면...

내용은 좀 이상해도 물리적으로는 이상할 게 없는 하나의 세계가 된다.

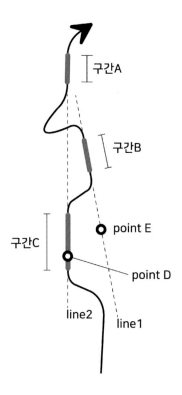

내가 '구간C'에 있을 때 'PointD'를 겪고 '구간B'로 가면 'PointD'는 일어나지 않은 일이다. 내가 경험하지 않은 사건 'PointE'는 실제로 일어난 것이 된다.

후드티 사건처럼 다시 과거의 사실이 원상복귀 된 것은, 후드티 사건이 'PointD'일 때 '구간A'가 겹칠때라서 그런 것이다. 이렇게 생각하면 나름 이해가 된다.

직선이 아닌 곡선 이동을 가능케 하는 것은

어떤 특정 장소->장소로의 이동임을 이제 알고 있으니까 '잘만' 활용하면 과거를 내 입맛에 맞게 바꿀 수 있지 않을까!

시간이 진짜로 흘러온 대로 기억이 쌓이는 사람은 아직 나 말고는 찾아내지 못했다. 현재란 어디까지나 내 관점에서의 현재이다. 아인슈타인은 각각의 존재마다 각각의 시간이 있다고 생각만 했지, 피부로 체험을 하니까 느낌이 좀 이상하기도 하다.

나이가 들면서 느끼는 것이지만 그 마법의 장소를 지날 때면 과거일수록 크게 변한다. 내 삶 안에서는 사사로운 일화가 아주 조금 바뀌지만 가끔 역사적인 사실이 바뀌기도 한다. 그러나 현재와 일직선 상에 있기 때문에 역사가 달라도 현재가 급변하는 것은 아니다. 만약 내가 마법의 장소를 내 과거 시점에서 다르게 타 현재 상태는 같으면서, 역사적인 과거 사실이 다른 완전 다른 상태를 만들 수도 있다. 물론 내 생각에는 그렇다.

만약 사실이라면 현재라는 것은 타임라인위의 한 점이 아니라 약간 선분일 수도 있다는 말이 된다. 이제 슬슬 머리가 아파진다. 현재 상태는 같은데 과거가 달라? 이게 말이 되나?

대략 1초 전에 무슨 일이 있었느냐에 따라 미래와 과거가 마구마구 차이가 나도 되나? 결국 끝이 안 날 것 같아서 이런 생각은 시간 남을 때 하고 이 능력을 이용해서 어떻게 이득을 볼 것인가를 생각해 보기로 했다. 돈이나 성공 같은 것을 계획하려고 내 과거와 역사 등을 정리해 놓고 있던 어느 날 드디어 나와 같은 존재를 알고 있는 자가 나타난 것이다.

나는 일단 겁부터 먹었다.

남자든 여자든 초능력 같은 것은 실험대상으로 취급받기 좋다는 것을 알기 때문에 내 나이 서른의 절반 동안 틈틈이 이 녀석을 피해 다녔다. 마법의 장소를 수시로 들락거렸고, 그 사람의 존재를 알고 나이가 더 들어가면서 처음 만났던 과거 사실을 바꾸고 유지하는 것이 쉬워졌다. 현재에서 멀수록 급격히 바뀌는 규칙 때문이다. 또한 xy평면 위에서 어디에 무슨 일이 있는지에 대한 나만의 지도가 점점 커졌기 때문이다.

이제는 이런 의문이 든다. 현재 방향을 틀어서 다른 곳으로 갈 수 있다면 과거로 다시 가는 건 가능할까? 나 말고 또 누가 이 평면 위를 직선이 아닌 선을 그리며 가고 있을까?

멈춰있지 않은 2

나와 같은 존재를 알고 있다던 그 사람으로부터 도망치던중, 내가 간과한 것은 터닝포인트의 특성상 절대적인 것은 절대 없다는 것.

일단 걸렸고, 나를 발견한 그녀가 자기도 나하고 같은 사람이라고 했다.

내가 알고 있는 터닝포인트로 가서 실험을 해본 결과 진짜였다.

역사적 사실이 바뀌는 곳으로 갔지만, 바뀌기 전의 역사를 맞췄다. 뭐 이정도는 잘 조사하면 알수도 있다. 그러나 그 터닝 포인트는 내가 개인적인 행동을 특정 부분까지 바꿔버리는 곳이었다. 이것은 내 과거 사건의 변화로 인해 발행하는 것이었다. 그래서 미리 대화할 때 자연스럽게 언급한 다음 터닝포인트를 돌고나서 물어봤다. 단순히 아는 것을 넘어서, 과거가 바뀐 것을 전혀 몰랐다. 나하고 달랐다면 오직 바뀐 과거만 알 것이다. 내가 그때 했던 말을 몰래 녹음까지 해놔서 이건 더 이상 의심의 여지가 없었다. 같은 처지의 사람을 해치거나 이용할 확률은 낮다. 일차적으로 안심이 되어 이야기를 들어 보기로 했다.

처음에 서로를 간단히 소개했다. 나이가 좀 있었고, 아줌마라고 부르면 싫어할 테니 그녀라고 불러야겠다. 동안인거는 인정 하겠는데, 고등학생 넘어가는 자식도 딸려 있으면서 끝까지 아줌마 호칭은 싫다고 한다. 이 여자는 역사학자였다. 세계의 역사를 손바닥 보듯했다. 의외였다. 우리 같은 입장에서 기정사실마저 언제 변할지 모르고 역사 교과서가 변하는 것을 보면서도, 하필 역사를 이렇게 열심히 알려고 한다는 것이 이상했다. 그러나 이야기를 더 듣고보니 오히려 변하기 때문에 어떻게 변하는지 더욱 잘 알고 싶었다고 한다.

"변하는 역사속에서 공부할 양은 남들에 비해 불공평할 정도로 많아요. 그러나 과거 사실이 변했을 때 역사가 어떻게 다른 방향으로 흘러가는지를 아는 것은 아주 흥미로운 일이죠. 어떤 선택이 어떤 결과들을 불러오는지에 대한 지혜도 얻을 수 있어요. 심지어 시간을 되돌리는 것 하고도 대충 효과가 비슷하죠."

나는 변하지 않는 것에 대하여 탐구했다. 수학, 물리 등등 절대 불변하는 것이 안정적이라 선호했던 것이다.

"그리고 혹시 시간의 뒤쪽으로 가보신적 있으세요?"

"저는 어떻게 하는지 몰라서 못했어요."

"저희는 해봤어요. 터닝포인트 3개를 연속으로 지나가는 방식을 썼어요. 시도해본 사람 말로는 원을 그리면서 본래있던 장소에 가려고 했는데 알 수 없는 반발력이 작용하면서 과거방향이 막혀있다고 하더군요.

우리의 능력이 다른 평행우주로 가는 능력이라 시간여행은 불가능하더라구요."

이 여자가 나를 만나려고 했던 이유는 우리 같은 사람들끼리 모여서 일종의 공동체를 만들고 있고 거기에 동참하라는 것이었다.

"뭐 좋은 생각인 것 같네요. 그런데 그렇게 했을 때 얻는 것은 무엇인가요?"

이랬더니 이 여자가 좀 당황했다. '어찌 그런 당연한 것을 묻는단 말인가?' 이런 태도였다.

"사람마다 생각이 다르고 느끼는게 다르긴 해요. 하지만 지금까지 삶이 어땠나요? 저희 같은 사람들이 아무리 서로 개성이 있어도, 항상 이 세상위에 붕- 떠있는 것 같고, 아끼던 사람이 만난적도 없는 것이 되고, 그런 경험이 한번도 없진 않았을거 아녜요."

"그래도 결국 적응하면서 살잖아요."

"그럼 최소한 서로 알아낸 것을 공유하는 것도 싫으세요?"

"싫다는 뜻이 아니에요. 공동체나 교류가 나쁘다는 뜻도 아니구요. 그러나 한번 걸리면 한방에 모든 지인이 끝날 수도 있잖아요."

"무슨 뜻인지 알겠네요."

그렇게 대화를 나누던 중...

"실용적인 목적으로 이용도 하셨다면..."

"이용이라뇨? 저 그렇게 나쁜 사람아니거든요?"

"아니 어떻게 활용을 안해요? 누구라도 있으면 이용 안할 수가 없는거죠! 저도 다르지 않아요. 인정할건 인정합시다. 어떤 부분에서 사람은 거의 다 똑같잖아요. 솔직히 개인적으로는 어디에 이용했을지 안봐도 뻔한데 뭐... ㅋ"

나는 이때 언성을 좀 높였다.

"싫다는 사람하고 억지로 한적은 없다구요!!! 그 후에 만난적도 없는걸로... 전 잘못한게 없어요! 나쁜짓은 해도 바꿀수 있었지만 하지도 않았다고!"

이 여자가 박장대소를 터뜨렸다. 그녀는 웃음을 간신히 참으며 말했다.

"여자 문제라고 콕찝어 이야기 하진 않았는데? 돈이나 뭐 이런거. ㅎㅎㅎ 아니 그런데 그런 부분이라도, 누가 아니래요? 젊음이 좋구나!"

"...."

"잘못을 추궁하는게 아니고, 저라고 그 마음을 모르겠어요? 오히려 더 절실하게 잘 알죠. "사람착각했네요"가 입에 붙었어요. 사랑같은거 다시는 안할꺼라고 다짐도 해보고. 오히려 이용하려고 해 봤죠. 그런데 재산도 경우에따라 마구잡이로 변하니까 나중에는 자포자기가 되요. 결국 얻은 것은 공허함과 허무함 뿐이었어요. 결국 저하고 비슷한 삶을 사셨을 거잖아요? 그 어느 누구도 고정적으로 자신을 기억해 주지 않았죠? 낯선 사람이 갑자기 아는척 해서 사기꾼인가 했더니, 실사로 과거에 만난적이 있던 사람으로 바뀌고... 애인과 남편이 바뀌고... 자식도.. 이거는 좀 심하네요. 인과율 갑자기 꼬이는 그 느낌. 이정도는 대략 불변이겠지- 믿다가 원인이 틀어지면 그렇게 되죠. 특히 자식이 우리들과 '같은가/다른가' 여기에서 제일 골치가 아파요."

어디까지 최악의 상황이 있을지 모르지만, 자고 일어났더니 남편과 뱃속에 아기가 바뀐다면 어떤 기분일까? 그 여자는 말을 이어갔다.

"결국 우리 같은 사람이 살면서 쌓을 수 있는 것은 기억,

지식, 그리고 같은 사람들 뿐이에요. 대부분 저희 같은 사람들은 혼자 살려고 해요. 그런데 기억을 유지할 수 있는 사람들과 함께 산다면 이야기가 달라지지 않나요? 언제 어디서 인과율이 꼬일지 모르고 사라졌던 과거가 다시 기정사실이 될지도 모르죠. 의외로 나쁜짓을 쉽게 하기 힘들어요. 인과응보가 우리한테는 좀더 복잡하게 작용될 뿐이지 원리는 같으니까요. 보니까 저를 확인할 때 터닝포인트를 그 정도 까지 응용하는 모습을 보면, 머리는 좋아 보이는데 역시 끝까지 변함없는 사람은 찾기 힘드셨죠? 지금은 존재하지도 않는 추억도 많겠죠."

"너무 저에 대하여 다 아는 것처럼...."

말을 이을 수가 없었다. 제아무리 가상의 과거를 바꿀 수 있어도 자신의 실제 과거 행동은 잠깐 피하는 그 순간에만 벗어나질 뿐 절대 사라지지 않는다는 것을 이 여자도 아는 모양이다. 나는 운이 좋아서 가벼운 후드티 사건으로 이것을 일찍 알았고 깨닫는데 큰 대가를 치르진 않았다. 그녀에게 어떤 계기로 그것을 알게 되었는지, 절대 물어볼 생각은 없다. 우리 같은 사람이 인생을 잘못 살면 점점 연결되고 싶지 않은 루트가 늘어나서 자신을 감옥속에 가두는 꼴이 된다. 별 것 아닌 사소한 것이 나중에 인과율을 너무 크게 바꾸는 때가 제일 힘들다. 그놈의 나비효과. 쉽고 간단한 계산이나 운이 좋으면 계획한 방향으로 간다. 그러나 그렇지 못하면... 심지어 잘못한 사람이 아무도 없을지라도... 때때로 세상은 너무 난해하여 쓸데없이 비극을 만들어 낸다. 거기다 '터닝포인트 테스트와 머피의 법칙'에 대한 이야기는 반박할 수가 없었다.

침묵이 이어졌다.

그 후에 그녀는 흥미로운 이야기를 꺼냈다.

"그런데 뭔가 이상한점을 못느꼈나요?"

"뭐가 이상한데요?"

"어떤 대상은 너무 쉽게 바뀌고 어떤 것은 잘 안바뀌죠."

"필연적 요소 같은 것이 아닐까요?"

"제가 역사를 연구한다고 했죠? 현재와 과거, 여러 가지를 계속 알아보면, 변하는 것과 변하지 않는 것 중에서도 인과적인 규칙이 잘 안보이는 경우가 있거든요. 생각해 보세요. 과거의 사건일수록 크게 변해야 하는 거잖아요!"

"세세하게 몰라서 그런건 아닐까요?"

"그럴수도 있죠. 그런데 저처럼 이상함을 느낀 사람중에 누군가가 재밌는 것을 발견했어요. 혹시 실제 기억이 쌓이는 존재가 저희 같은 특정 '인간'에 국한된다고 생각하죠?"

"거기에 대해서는 깊게 생각을 안해봤네요.

사실 저는 터닝 포이트만 연구했거든요. 그런데 진짜 기억이 쌓이는 존재가 특정 사람 말고 뭐가 더 있나요?"

"무엇이든 될 수 있어요. 사람. 생물. 사물... 지금은 '사건'도 그럴 수 있다는 주장도 있어요."

"사물하고 사건도요?"

"그런 사람과 사물로 발생한 사건이라면 충분히 그럴 수 있죠."

"저는 저말고 저 같은 대상을 본적이 없어서, 그런 방향으로는 생각을 많이 못했어요."

"그리고 아까 터닝포인트 연구했다고 하셨죠? 터닝포인트에 대하여 알아내신거 좀 알려주시면 안되나요? 저희쪽에서는 그게 제일 미스터리한 부분이거든요. 너무 궁금해요."

"연구라고 했지만 연구라기 보다는 그냥 가설만 있는 상태에요. '터닝포인트란 대체 무엇인가'에 대한 것인데요- 저는 그게 좀 특이한 형태로 시공간이 휘어진거라고 생각해요."

"좀더 구체적으로 말씀해주세요."

"상대성 이론을 보면 중력을 시공간의 휘어짐으로 해석하고 있고, 무조껀 직진하는 빛이 그 주변에서 경로를 바꾸죠. 시공간의 휘어짐이 터닝포인트고, 빛을 우리라고 비유한다면 어떨까요? 일반적으로 질량이나 중력이 시공간의 휘게하죠. 어떤 이는 중력이 다른 차원으로까지 퍼져 있을지도 모른다고 하고요. 여기다가 차원을 하나 더하는 평면, 공간을 생각해 볼 수 있어요. 만약에 전혀 다른 차원의 방향으로 이동을 할 수 있다고 가정해 봅시다. 그런데 그 다른 차원의 연속적 세상의 모습에서 지리적 차이점이 없으면, 우리는 정상 시간의 길을 가는지 다른 방향으로 가는지 구분을 하기가 어렵겠죠? 건물, 지형, 다른사물들…

이렇게요. 우리는 차이점을 보고 파악했잖아요. 아마 시간보다 또다른 '세상'처럼 생각하는게 편하겠네요. 다른 세상이라고 하면 각각 분절되어 따로 있다는 관념이 일반적입니다. 만약 연속체로 이어져 있다면 어떨까요? 두 개의 세상이 아니라 사이를 잇는 무한히 많은 연속된 우주. 가능세계의 연속체. 예를 들어 보이는 색상이 색반전인 세계가 현재 우리 세상과 연속적으로 이어지는 거죠. 터닝포인트의 경우에도 완전히 새로운 방향의 차원과 관계가 있을지도 몰라요. 달리다가 중력으로 경로를 바꾸는... "

...

이런저런 이야기를 더 나누다가 그녀는 처음에 언급했던 공동체에 대한 이야기를 꺼냈다.

"그 공통체를 처음 만든 사람이 알아내 사실은 이겁니다. '실제 기억이 쌓이는 사람은 한번 죽고난 후에, 다른 사람이 터닝포인트로 살려낼 수 없다.'"

"이런...."

"그래서 한번 만나면 무조껀 모여 살려고 이런 공동체를 만들었던 거군요."

"맞아요. 그리고 그것뿐만이 아니에요. 제가 아까 기억이 쌓이는 물체에 대하여 말씀드렸죠? 그걸로 불변의 연락수단을 만들려고 노력하고 있어요. 스마트폰 같은거요. 시제품을 변형하는것도 고려하고 있는데 직접 만드는게 확실할지도 모르죠. 물론 모든 일이 쉽지 않아서 단순한 것부터 시도하고 있어요. 새로운 사람이 들어오면 그 사람이 알던 터닝포인트를 저희들의 지도에 추가 할 수 있어요. 터닝포인트가 확인되지 않은 지역으로는 위험하니까 잘 가지는 못하죠. 가끔 새로운 터닝포인트에 반드시 가야 할 일이 있으면 성가시기 때문에 현재로서는 자주 활용하지 않죠. 큰 이점이 있는 능력이지만 그만큼 그것으로 곤란하고 고통스럽기도 하니까요. 함께하는 것도 좋을거에요."

"우리말고 다른 분들은 어디 계시나요?"

"만나고 싶으세요? 여기서 멀지 않아요. 00아파트 201동의 절반 정도가 다 그런 사람들이에요."

"저희 집하고 별로 멀지도 않군요."

"그럼 같이 만나러 가보실래요? 시간 괜찮으신가요?"

"그럼요. 주말이잖아요."

먼 훗날 공동체 사람들은 내가 합류했던 오늘을 기념일로 만들자고 제안할 만큼 나는 중요한 존재가 되었다. 연락망구축에 도움이 되었고, 우리들이 어떤 존재인지에 관하여 밝히는데 기여가 컸기 때문이다. 사람이 늘어났고 터닝포인트에 대한 이해도 높아져서 따로 다녔다가도 다시 돌아와서 만나는 방법이 개발되었다. 안전한 활동범위도 점점 확대되면서 국가만큼 커졌고, 역사와 시간평면의 지도도 방대하고 정교해 졌다.

그러나 10년이 넘게 흐른 지금도 그녀는 우리가 처음 만난 이날을 놀림거리삼아 나와 주변사람을 성가시게 한다. 내가 잠깐 발끈 했던게 그렇게 재미있었던 모양이다.

미코노스 섬으로 휴가를

미코노스섬으로 휴가를

1주 전쯤 그리스 미코노스섬으로 휴가를 갔었다.

지금 와서 생각해 보면, 거기가 진짜 미코노스였는지는 확실하지 않다. 일단 그 섬사람들의 주장에 따르면 거긴 미코노스섬이었다.

도착하자말자 미코노스에 온 것을 환영한다는 문구가 눈에 보인다. 호텔에서 여기가 어디냐고 물어보면 모두가 미코노스섬이라고 말해준다.

내가 왜 가놓고도 확신을 못 하냐면,

일단 미코노스에 가서 돌아오기까지 뭔가? 머릿속에서 과정을 생략한 묘사를 하는 것 같기 때문이다. 기억하는 것 혹은 경험한 것 중에 뭔가 이상한 것이 끼어들었는데 너무 자연스러워서 눈치채지 못하는 것 같다. 어디서부터가 꿈인지 현실인지 모호하게 결론이 난다. 일단 다 적어서 스스로 분석해 보기로 한다. 곰곰이 생각해 보면 모든 것의 원인은 그리스로 가는 비행기에서 마신 와인 때문인 것 같기도 하다.

-

왠지 동양인 승무원이 비행기에서 와인 한 잔을 줬다. 와인을 즐겨 마시지 않아서 와인에 대해 무지하다. 일단 내가 보기에는 색이 좀 특이해 보였다. 와인은 완벽한 '스카이 블루'였다. 궁금한 마음에 와인 이름을 알아내서 노트북으로 검색해 보려고 승무원에게 물어봤다. 발음이 독특하고 스펠링이 어떻게 되는지 짐작이 안되어 다시 물어보니, '도수가 매우 낮아서 음료수하고 비슷하니 안심하고 마셔도 되며, 정 그러시다면 다른 음료는 무엇으로...?' 이런 식으로 이야기했다. 설마 비행기에서 인공색소가 든 '그 음료????" 최소한 이상한 것을 줄 리는 없겠지, 하고그냥 마셨다.

잠에서 깨서 비행기를 나가는 순간 놀라운 풍경이 펼쳐졌다. 비행기 계단을 내려오자마자 바다에 발을 담가야 했기 때문이다. 불시착 한 것이 아니냐고 물어 볼.. 려다가... 주위 사람들의 행동이 너무 태연했다. 일상적이라는 느낌이었다.

놀라는 사람은 나뿐이었다. 뭐지? 뭐지? 하면서 다른 사람들처럼 비행기에서 내렸다. 누구나 하는 그런 절차를 거쳤다. 바닷가. 이런데도 있을거는 또 다 있는 것이 더 미치는 일이었다.

미코노스섬에 가기 위해서는 '나룻배'를 타야 했다. (원래 이런 건지 아닌지 호텔에 들어가면 바로 검색해 봐야겠다고 생각했다.) 혹시 저승으로 가는 건 아닐까... 생각하는데, 노를 젓는 사람이 돈을 달라고 했다. 일단 돈을 내고 탔다. 결론적으로 죽은 건 아니었다.(지금도 휴가끝나고 잘 살고 있다.) 그렇게 노를 젓는 사람의 인생 이야기 들으며... 미코노스섬에 도착했다. 호텔에 도착하니 저녁 시간이었다. 저녁을 먹고 키를 받을 때 주인장이 직접 와서 이런 이야길 했다.

3층은 VIP전용 객실이니 복도에도 들어가선 안 된다. 엘리베이터에서 3층문이 열리더라도 빨리 닫고. 쳐다도 보지 말라는 것이다. 이게 다 내 신상과 안전을 위해서란다.

음... 뭐야 여기? 싸고 구석진 곳을 골랐는데 잘못 골랐나? 라고 생각하며 엘리베이터를 탔다.

가는 날이 장날이라더니 혼자 탔는데 3층에서 멈추었다.

문이 열렸다. 아무도 없었다.

누가 눌러놓고 가버린 모양이다. 그러나 역시 나는 호기심을 이기지 못하고 슬쩍 복도를 보는 순간 말도 안 되는 풍경이 보였다. 믿어지진 않겠지만 어릴 적 내가 살던 주택의 복도였다. 내가 벽에 해 놓은 낙서까지 그대로인 채로... 이미 철거가 되고 아파트가 들어서 버린 그곳에 있던....

이제부터는 그냥 주인장의 충고는 머릿속에 없었다. 엘리베이터에서 내려 복도에 서서 내가 해놓은 낙서를 유심히 봤다. 따라 그린 것이 아니라 원본이다. 엘리베이터는 올라갔고, 이제부터 나의 기이하고 짧은 모험이 시작된다.

첫 번째 방

어릴 적에 살던 주택에는 총 7개의 방이 있었는데 1층에 4개가 있었다. 그중 첫 번째 방으로 들어갔다. 방에는 가구가 하나도 없다는 것이 내 어릴 적 기억과 대조된다. 그리고 방 한가운데 뭔가 놓여 있었다. 살풍경한 방이 부각하는 그것은 내가 어릴 때 가지고 놀던 로봇 장난감이었다. 같은 종류의 다른 새 제품이 아닌 줄 안 것은 나 있는 흠집, 내가 이빨로 깨문 자국, 뜯겨 나간 스티커의 위치와 형태, 때가 탄 모습이 내 기억의 샘을 열심히 자극해 주었기 때문이다. 추억 속 그 로봇은 내가 성장하고 어머니께서 버리셨는지 아니면 다른 어린 친구에게 물려줬는지 모를 정도로 자연스럽게 내 삶에서 사라졌다. 누군가 보존을 했나?

그건 중요하지 않다. 나는 지금 나의 내면 안에 있는 어린 나를 느낀다....

문득 이런 생각이 든다.

로봇과 같이 공장에서 만들어져서 타인에 의해 움직이며 손을 대는 대로 이리 변했다, 저리 변했다 하는 것이 또 있을까?

비슷한 상황에 처한 사람은 널렸다. 타인의 손에 놀아나는데도 자신의 행위가 자신의 것이 아님을 눈치채지 못하고, 상상을 현실이라 믿으며 스스로는 아무것도 하지 않았던, 언제 버림받을지 모르는 존재. '사람은 생각하는 대로 살지 않으면 사는 대로 생각한다'는 말이 있다. 몸을 움직이게 하는 대부분의 원인은 주변 환경/타인이 강제한다. 그것을 현실이라 부르며 자기 자신의 뜻인 것처럼 착각하는 것이다.

그들이 구원받으려면, 스스로 움직여야 한다. 일단 두발로 땅을 디디고 서야한다. 벽에 기대거나 타인의 생각에도 기대지 않고 스스로 일어나야 한다. 그리고 진정 자신이 원하는 것을 깨닫고 행동해야 한다.

장난감으로 만들어 졌어도, 스스로 장난감 취급을 할 수는 없다.

자신의 이상을 갈망하는 그런 존재. 필요한 것은 그런 태도라고 생각한다.

두 번째 방

두 번째 방에서 내가 발견한 것은 노트였다.

어릴적에 썼던 '소설'. 무슨 생각으로 썼는지, 무슨말을 하는건지... 본인이 봐도 이해가 안 가거나, 알아보는 부분이 있으면 공책을 덮고싶은 그런 류. 그리고 그 소설을 읽고 그 글에 대해 평가해줬던 친구의 주장이 떠올랐다.

일단 앞부분에 주인공 소개가 있어야 하고, 이야기는 무조건 시간의 순서에 맞게 써야 하는데 그렇지 않아서 내 소설이 형편없는 글이라는 것이다.

놀랍게도 '결론은 맞는데 판단 과정이 이상하다.' 서류심사는 한 곳에서 대략 1가지 기준이지만, 작품의 독자는 그 개인마다 기준이 따로 있을 것이다.

과거에는 인정받지 못했어도 현재 와서 높은 평가를 받는 작품이나 이론 같은 것은 많다. '최소한 언젠가는 인정을 받는다'는 것이, 왠지 부럽다. 누군가가 이런말을 했다. "지금 있는 것에서 조금 나아간 것을 만들면 선구자 소리를 듣지만, 너무 시대를 앞서가면 미친놈 소리를 듣는다."라고.

선구자 소리를 들을 것인가, 시대의 인정을 버리고 앞서갈 것인가? 뭔가 멋있어 보이는 고민이다.

하지만 우스운 일이다.

누구도 미래는 알 수 없고, 믿는 것이 100%참이라는 확신을 할 수 있는 사람도 없다.

많은 이들이 평가를 두려워한다. 그 작품은 '타인을 위해서' 제작되었다. 목적의식 때문에 '최종가치평가'를 타인에게 의탁한다. 장인은 특정 누군가가 쓰라고 도구를 만든다. 더 좋은 작품을 위한 피드백이라면, 평가가 부정적일수록 얻는정보가 많다.

예술가처럼 하고싶은 메시지가 있는것도 아니었고,

독자는 오직 자기자신 한명 뿐이었다.

세 번째 방

들어간 후 벽면에 보이는 것은 벽면에 적힌 글자였다.

'누구든 죄가 없는 자 이 여자를 돌로 쳐라!'

원래 이 방은 삼촌 방이었다. 삼촌은 독실한 기독교 신자였다.

만약 죄를 짓지 않은 사람이 한 명도 없는 사회에서는 누가 타인의 죄를 벌할까? 라는 의문점이 항상 저 구절에 따라 다녔다.

사람들이 '맞다', 혹은 '옳다'라고 느끼는 것은 그 대상이 진짜 옳았기 때문일까? 아니면, 생존에 유리했기 때문에 그런 생각이 이어져 내려오는 것인가?

그냥 옳다는 '느낌'만 드는 생각과, 실제로 맞는 것은 어디에서 차이점이 나올까? 그리고 느낌만 맞는 것 같은 그 생각을 진정성있게 다시 생각해 본다면... 어떤 새로운 결론이 나올까?

네 번째 방

내가 어릴 적 가지고 놀던 장난감 기차와 레일이 세팅되어 있었다. 그리고 선로 중앙에 선로변경장치가 있고 거기에 이렇게 적혀 있었다.

a루트인가(turn)

b루트인가(or not)

건드리려다 그냥 지켜보고 있었는데 너무 어려서 기억도 안 나는, 어릴 적에 키웠다고 듣기만 했던 검은 고양이 한 마리가 쪼르르 나타나서 출발 스위치를 밟고 그대로 가버렸다. 기차가 출발했다. 흥미롭게 지켜보는데, 목적지에 다다르자 쌓여있던 성이 무너졌다. 그리고 플래그가 세워졌다. 그 깃발에는 이렇게 적혀 있었다.

성을 무너뜨린 원인은?

갑자기 그 모든 잘못을 남에게 떠넘기는 사람이 떠올랐다.

심지어 본인이 교통사고를 냈지만, 자기 잘못이 아니라? 자신이 차를 몰게 '차를 사준 사람'이 잘못한 거라고 했던 전설의 일화로 유명했다. 그럼 차를 사주는 사람은 '미래를 예지하여' 사고가 날 것을 미리 알아낸 후, 차를 사주지 말아야 하는데...? 그러지 못하여 미안해야 하는건가... 뭔가 환타지/공상과학영화 같다. 그런게 가능할 리가.

차를 몰기에는 맥락적으로 부적절한 상황이라거나 (운전 면허만 땄지 능숙하지 않은 경우 등등) 사준 차가 결함이 있는 거였다거나.... 이런것도 아니라면...

대부분 사건의 책임이 본인을 넘어갈 때, 그 순간 생각을 멈추는 사람이 많다. '자유의사가 실존할 수 있는가'까지 가는 순간 슬슬 머리가 아파진다.

2층

위로 올라가려는데 2층에서 대화 소리가 났다. 계단 밑에 숨죽이고 앉아 엿들어 보았다.

"1층에 누가 온 것 같은데?"

"아마 지금쯤 네 번째 방에 있을 거야."

"이런 곳에 우리 말고도 올 수 있는 사람이 있다는게 신기하지 않나?"

"우리가 가능하다면, 우리 같은 사람이 더 있을 수 있는 게 어찌보면 당연하지. 꿈과 현실을 헤매다가 환상과 현실의 경계를 지나는 사람은 많아. 어떤 부분을 통해 이어져 있지.

그런데 단순한 표현만 보면 정말 이상하게 들린다."

"저 밑의 사람이 우리를 눈치채기 전에 어서 여길 나가세."

"알겠네!"

하고는 3개의 방중 각각 한 곳으로 들어갔다. 잠시 후 2층으로 올라가자 2개의 방문은 닫혀있고 하나가 열려있었다. 아까 두 명은 이 두 문으로 나갔나? 하고 열려있는 문으로 들어갔다. 우리 집 화장실이었다. 이제 기억이 났다.

밖으로 나오니까 이번에는 비행기의 화장실 칸에서 나왔다. 호주머니에서 표를 꺼내 내 좌석을 확인한 후 태연한 척 자리에 앉았고 그때부터는 다시 정상적이었다. 미코노스 이후 지금까지도 이상한 일없이 잘 지내고 있다. 이제 인터넷 검색으로 확인할 수 있는 것을 해보자.

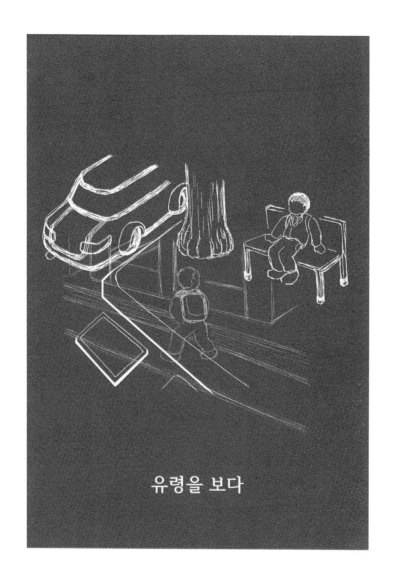

유령을 보다

유령을 보다

어린아이들이 종종 귀신을 보는 이유는 영이 순수해서라는 말이 있다. 그 말의 뜻을 이해한 것은 시각에 관한 다큐멘터리를 보고 나서였다. 우리의 눈은 눈 안의 핏줄이나 맹점 등을 항상 보고 있지만, 사물을 인지하고 판단하는데 별 필요 없는 정보라 뇌에서 자동으로 필터링하는 것이다. 유령도 마찬가지다. 그들은 벽을 쑥쑥 통과하면서 보이는 것 말고는 현실에 어떠한 개입도 하지 않는다. 대부분 말을 걸거나 하지도 않고 각자 자기 할 일 바빠서 무시하기 딱 좋다. 그래서 눈에 '보이는 대로 보는' 어린아이들에게는 간혹 인식되지만 현실을 살아가기 바쁜 사람들에겐 있으나 마나 한 존재, 시간이 지나 어른이 될수록 뇌가 알아서 무시하는 것이다. 어쩌면 귀신을 무섭게 묘사하는 대중매체도 한 목 했을지 모른다. 사실 다들 눈이 멀쩡하다면 누구나 귀신을 본다. 무의식적이든 의식적이든, 뇌가 알아서 필터링하든 다들 무시하면서 산다.

소년은 중학생이지만 아직도 유령을 본다. 하지만 그 사실을 알릴 필요는 없다. 그들이 현실에 별다른 영향을 주지도 않고 살며 소년 자신도 자기 할 일이 바쁘기 때문이다. 말해봤자 미친사람 취급하거나 농담으로 생각하겠지. 아마 중2를 넘어서면 사라질 것이다.

대부분의 유령들은 자기들끼리만 이야기한다. 어쩌면 유령들에게 현실이 오히려 유령세계인지도 모를 일이다. 소년이 보는 그들의 모습은 이상하지도 않고 무섭지도 않았다. 그냥 지극히 평범하고 일상적인 모습으로 자기

할일만 한다. 꼭 두개의 평범한 현실이 겹쳐서 있는것 같다. 영화에서 볼법한 일은 영화에서나 있다.

학교에 갔다.

어느 날 등굣길에 우연히 만난 '그'는 유령 같았는데 최초로 소년의 관심을 끄는 데 성공한다. 관심을 끌 수 있었던 이유는 소년 자신과 똑같이 생겼기 때문이다. 같은 교복에 같은 이름표 심지어 서로 쳐다보고 같이 놀랐다. 그둘은 점점 친해져서 노트에 글을 적어 이야기를 나누는 사이로 발전한다. 그러다 소년은 자신과 닮은 '그'가 현실을 자신과는 다르게 인식한다는 것을 알게 되었다.

'그'는 우리가 사는 세상을 마치 TV나 스마트폰 화면처럼 생각했다. 소년은 그에게 가상현실을 play 하는 거냐고 물었지만 '그'는 그것과는 좀 다르다고 했다. 가상현실은 고개를 돌려도 VR 기계를 벗지 않으면 주변의 풍경을 못 보지만 실제로는 스마트폰처럼 고개만 돌려도, 살짝 넓게만 봐도 주변이 보이는 것과 비슷하다고 했다.

'그'는 오히려 소년을 유령이라고 부르며 자신이 지금껏 봐왔던 모든 유령들은 하나의 화면에만 너무 고개를 파묻고 그것만 너무 열심히 보며 사는 것 같다고 말했다. 일상이라는 작은 스마트폰의 화면으로 많은 정보를 얻고 남들과 소통할 수도 있지만, 가끔 다른 곳으로 눈을 돌리고 잠시 쉬는 것도 어떻겠냐고 했다. 눈이나 신체 건강에 좋지 않다면서. 지금 소년이 느끼는 일상과 세상의 모습은 아주 작고 제한된 화면일 뿐이라고. 실제 세상은 더 넓게 펼쳐져 있다고-

이 말을 듣고보니 오히려 자신이 이질적으로 느껴졌다. 그래서 어떻게 현실을 스마트폰 끄듯 끄고 주변을 볼수 있는지 물어보았다. 그는 대략적이지만 아주 친절하게 대답해 주었다.

고개를 너무 처박지 말고 좀 떼면, 옆에 보이는 '메뉴' 버튼이 보이는데 그걸 누른다. 그리고 '설정'에 들어간다. '종료'를 누르고 확인 창이 뜨면 '확인' 사용 안할때 잠시 멈춰두는게 나중에 편하다고 했다. 다시 하고 싶을때 전원버튼을 켜면, 껐던 순간부터 화면이 뜬다고도 했다.

자기도 비유적으로 표현할 수 밖에 없으니, 스스로 잘 알아서 이해하라고 했다. 그리고 표현력이 좋지 못해 미안하다며 아쉬워했다.

소년은 가끔 시간 날때 시도를 해보았다. 주말에 6번을 시도하고는 '혹시 날 놀리는건 아니었나?'생각했는데

그다음 주말, 총 9번째 시도에서 성공해버린 것이다.

그러자 황량한 진짜 세계가 나타났다.

오직 자신뿐인

너무 크고 넓어서 당황스럽지만 이제서야

익숙한 진짜 세상이 기억났다.

소년은 이제 현실은 적당히 즐기기로 다짐했다.

오랜만에 진짜 세계를 거닐었다.

아주 평화로운 영원 이었다.

환영의 샘

환영의 샘

한 달 전 바닷가 근처에 운석이 떨어졌다. 공교롭게도 나는 그 바닷가 근처에 살았다. 처음에는 우리 동네가 뉴스에 나오는 것이 신기했다. 뉴스는 항상 남의 일에 관해서만 이야기하는 줄 알았다. 운석이 떨어지고 난 후 주기적으로 한 사람씩 그 바닷가에서 실종되었고 이상한 환상이나 헛것을 보는 사람들이 급증했다. 마을에서는 이상한 소문까지 돌고 있었다.

바닷가 바위 동굴의 끝에 '환영의 샘' 이 있는데 거기로 들어가면 함흥차사가 된다는 식의 내용이었다. 그래서 마을 사람들은 바닷가 근처에 얼씬 조차하지 않았고 정부에서 파견된 과학자들이 연구와 조사를 하기 위해 바닷가 근처에 진을 치고 있었다.

그러나 주기적으로 사람이 실종되는 현상은 변함이 없었다.

마을 사람들은 하나둘 이사를 하였고 실종된 사람들의 가족들만이 남게 되었다. 나의 유일한 피붙이인 형은 현재 마지막 실종자였고 형이 실종된 것은 5일 전이었다. 과학자들이 설치한 CCTV는 사람들이 사라지는 주기에 맞춰 고장이 났다.

과학자들의 주장은 이랬다. 운석이 바닷가 어딘가에 떨어졌고 강한 자기장을 내뿜는다. 그것이 CCTV를 손상시키고 사람들의 뇌가 자기장의 영향으로 환상이나 허깨비를 보게 된다. 간혹 환상에 매료된 사람들이 바닷가에서 방황하다가 파도에 휩쓸려 실종된다... 이런 것이 그들의 주장이다. 그들이 하는 일 중 유일하게 제대로 작동하는 것처럼 보이는 장치가 있다. 그것은 운석에서 나온다고 추정되는 자기장을 완화하여 환상을 덜 보이게 해주는, 시계처럼 생긴 장치였다. 그래서 남아있는 모든 사람이 정부에서 보급한 시계같이 생긴 이 장치를 차고 다녔다. 나는 바닷가 출입금지 구역에서 좀 동떨어진 해변에서 그 편지가 든 유리병을 발견하기 전까지 과학자들이 하는 이야기를 철석같이 믿었다.

햇살이 새하얗게 빛나던 오후였다. 금지구역 옆에 있는 해변은 여름인데도 사람이 나 빼고는 전혀 없었다. 어쩌면 형을 찾을 수 있을지도 모른다는 생각에 매일 그 해변을 따라 걷는다. 밀려오는 파도를 차면서 걷던 도중 유리병 하나를 발견했다. 흙에 묻혀있지 않으면서 파도가 막 밀려들어 오는데도 똑바로 서 있던 그 병 속에는 편지가 한 통 들어 있었다. 놀라운 것은 그 편지를 쓴 사람이 자신을 5일 전에 실종된 내 친형이라고 주장했기 때문이다. 편지의 내용은 이러했다.

동생아!

네 형이다. 이 편지를 받아 볼 때쯤이면 내가 실종 된 지 5일 정도 지났겠구나. 일단 내 걱정은 하지 않아도 된단다. 난 안전한 곳에서 잘 지냈고 곧 집으로 돌아갈 거야. 내가 그간 어디서 뭘 했는지 궁금하겠지만 너에게 말해 줄 수 있는 내용이 제한되어 있으니 이해해 주렴. 일단 내가 집에 가서 이야기해 줄 수 있다고 생각하겠지만 그때쯤이면 실종 당시의 기억을 전혀 못 할 거야. 내 기억이 지워지지 않은 지금 알려줄 수 있는 것만 알려줄게. 믿기 어렵겠지만... '환영의 샘'이라는 소문을 들어 봤지? 전부는 아니지만 거의 사실이야. 지금 이 편지도 '환영의 샘'에서 쓰고 있거든. 샘은 나에게 꽤 큰 기대를 했었는데 난 기대에 못 미쳤나 봐. 이제껏 실종된 사람들도 마찬가지고. 그래서 난 너를 추천했다. 넌 좀 별나잖니. 어쩌면 기준이 남다른 '환영의 샘'이 널 마음에 들어 할지도 몰라! '환영의 샘'의 기준에 완벽하게 부합하든 그렇지 않든 너도 오면 최종적으로 '샘의 심연'에 도달할 거야. 그리고 이 '샘'과 그 모든 비밀을 알게 되겠지. 물론 샘의 기준에 미치지 못하면 '샘'에서 있었던 기억은 지워질 거야. 너희 쪽 시간으로 따지면 길게 잡아도 한 달 그 이상은 안 걸릴 듯. 뭐 사람마다 약간의 차이가 있겠지만. 그리고 내일 첫 번째로 실종된 사람이 제일 먼저 나타날 거다. 그 사람도 실종 당시의 기억은 없어. 그 후 나머지 사람들도 순차적으로 나타나겠지. 상황을 지켜보다가 내 말이 맞는 것 같으면, 부탁인데 3일 후에 정부에서 온 과학자들이 다 자러 갈 때, 동굴로 와서 '환영의 샘'으로 들어가 줘. 위험하진 않으니 걱정하지 말고. '환영의 샘'이라고 했지만 직접 경험해 보면 단순한 환영은 아닐 거야 그 안에는...미안 '환영의 샘'이 더 쓰지 말래.... 그럼 이만 줄일게

–너의 형님께서–

글씨체를 보니까 대략 형이 맞는 거 같다.

나를 추천하는 이유를 내 나름대로 생각해 보자면 아마

다음과 같을 것이다.

나는 어릴 때 부터 드라마, 영화, 만화 등을 볼 때마다 이상한 느낌을 계속 받았다. 그 이상함의 원인은 바로 배경음악이었다. 현실의 세상이 아니라는 건 알지만 기본적인 리얼리티를 전제로 하는 작품 안에서도 어떤 특정한 상황이 발생하면 꼭 특정 부류의 음악이 나온다. 나는 이게 당최 이해가 되지 않았다. 현실에서 그런 음악이 갑자기 나온다면 다들 깜짝 놀랄지도 모른다. 난 그 배경음악이 등장인물의 관점에서 보면 공감을 가능케 하는 장치라는 것을 나중에 알게된다.

더 이상한 것은 '가사'였다. 그 멜로디하고 가사는 무슨 특별한 사이가 아니다. 얼마든지 새로운 가사를 붙여도 노래가 된다. 굳이 그렇게 부르면 혼란을 초래할 뿐인 것 같다. 그러나 아무도 이상하다고 생각을 하지 않는 것 같았다. 또한, 노래를 들으면 노래에 담긴 감정이 내 감정이 될 수 있다고 하던데, 어디까지나 내 생각으로는 그런 착각을 해서는 곤란하다는 인식이 팽배해 있었다. 형은 이 사실을 알고 난 후부터 나를 '모자란 애'라고 불렀다.

하룻밤 지나자 형의 예언대로 첫 번째 실종자가 나타났고 그는 실종 당시의 상황을 전혀 기억하지 못했다. 형이 보낸 편지의 내용이 너무 형다웠고 걱정하지 말라고 했지만 조심해서 손해 볼 건 없다. 어쩌면 나쁜 사람들이 형을 협박해서 나까지 인질로 삼으려고 그런 글을 쓰게끔 했을 수도 있다. 하지만 장소가 바위동굴이면... 예전에 가봤는데? 너무 좁고.. 거기에 인질범과 형(그리고 나머지 실종자들?)이 옹기종기 모여앉을 수... 도 없다.

상자 쌓듯이 포개놓는건가? 정말 심하게 비좁을 텐데...

그리고 인질로 삼아서 거액의 돈을 뜯어낼 부모님은 없고.

가진 것도 별로 없는데? 대체 무슨...

아무튼 형을 구하기 위해 한바탕 해야 할지도 모르니까 호신용 스프레이와 휴대전화기를 챙겨서, 형이 오라고 한 그날 밤. 바위동굴로 들어갔다. 과학자들은 자러 갔는지 보이지 않았다. 바위 동굴은 그렇게 심하게 깊지 않았고 내 기억대로 넓은 공간이 딱히 없었다. 동굴 안에는 확실히 나 이외의 그 누구도 없었다. 그리고 결국 동굴의 끝에서 '환영의 샘'을 발견했다. 전자기장을 막아주는 시계가 있어서 환상은 아니겠지 하고 안심은 했다. 예전에 와봤을 땐 동굴 끝의 바닥에 이런 물웅덩이가 없었다. 심지어 미묘하게 빛나고 있었다. 일단 '환영의 샘'에 발을 담가 본다.

그냥 물 같은 감촉이 났다.

그리고 '샘' 가까이 고개를 숙이고 안쪽을 들여다봤다.

그리고 보였다.

완벽한 하나의 세계가

무한의 신비를 품고

나를 기다리고 있다는 것을.

#

'환영의 샘' 의 기준을 모두 통과하고 '샘'에서 나왔을 때, 모든 것을 기억하는 내가 자랑스러웠다, '샘'의 윗사람, 상사쯤 되는 존재께서 내가 겪었던 이 체험이 1급 기밀이라는 이유로 그 프로젝트의 전체 윤곽을 상세히 설명해 주지 않았다. 앞으로 '은하 지성체 연합'에서 어떤 조치를 취할지 아직은 알 수 없었다.

동굴을 나와 보니 하늘이 유성과 별똥별이 불꽃축제를 하고 있었다. 불안해도 되는 상황이지만 이것 하나만큼은 자신할 수 있다.

나는 희망이 될 것이다.

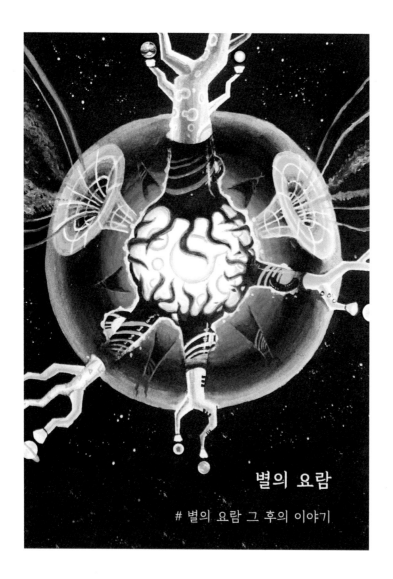

별의 요람

별의 요람 그 후의 이야기

별의 요람

-

반중력.

중력에 대칭되는 힘,

입자를 멀어지게 하는 힘으로 예측되었다.

그것이 실제 하는지는 확인한 바 없다.

-

어떤우주의 중심점에는 물리법칙과 우주의 전반적이고 또한 세부적인 모든것을 컨트롤 하거나 변경할 수 있는 기계가 존재한다. (기계가 아니라 생명이라는 주장도 있다.)

이 존재를 깨닫는 생물과 로봇은 있어도, 중앙통제실을 찾아내지는 못했다. 쉽게 관측할 수도 없었다. 공간의 왜곡 속에 숨어있기 때문이다.

문명의 발달이나 존재의 진화... 등, 과학기술이 극한으로 발전하여 특정 조건을 충족하면 비로소 알아볼 수 있도록 되어있다. 내부 구조는 생명화된 기계 로봇, 나노단위의 복잡성을 지닌다. 파괴되면 스스로 복구하는 시스템을 가지고 있다.

-

신이 태초에 공간을 만들고 물질을 만들었다. 만들고 나서 보니 물질들이 기체처럼 분자 간격이 넓었다. 신께서 만든 여러개의 우주 중에서도 특히 그 우주는 초반에 설정한 반중력이 중력보다 강하여 물질들이 뭉쳐지질 않았고, 그리하여 행성이 만들어지지 않았다. 이를 아쉽게 여긴 신은 별의 핵이 되어 별을 탄생시킬 수 있는 새로운 물질을 만들어 낸다. 해당물질을 이용하면 역학관계를 통해 반중력을 물리적으로 무시하고 별을 탄생시킬 수 있었다. 이 물질은 '별의 씨앗'이라는 이름으로 불리게 되었고, 신께서 만든 '태초의 행성'의 핵이 된다.

별을 탄생시키는 별

'별의 씨앗'이라고 불리는 물질은, 스스로의 판단에 따라 다른 물질을 수집하여 자신과 같은 별의 씨앗이 되게 하거나, 물질로 자신의 주위를 감싸 별의 크기를 키운다. 초창기에 씨앗은 주변 기체를 빨아들여 최초의 행성을 형성했다. 신은 자신이 하나하나 만들어 주는 것 보다, 되도록 자발적으로 무엇인가를 만드는 우주를 원했다. 별의 씨앗 혼자서 자동으로 자신이 아닌 다른 행성을 만들 수 없었다. 그래서 일단 행성에 '창조의 나무'라는 생명을 창조한다. 이 창조의 나무는 별의 씨앗 덩어리에 뿌리를 내리고 빨아들인 물질들을 이용하여 별의 씨앗을 주축으로 행성을 만들고, 가지로 전달하여, 가지 끝에서 별이 열매처럼 생성되게 했다. 별의 씨앗으로 탄생한 별에서 다시금 태어난 생명은, 자동적으로 반중력의 영향을 받지 않는다. 또 식물의 떡잎이 식물이 크면 사라지듯, 별의 씨앗은 시간이 적당히 지나면 다른 물질로 대체된다. 물론 태초의 행성 속, 별의 씨앗은 예외다. 행성이 다 자라면 우주 각 영역으로 자신의 장소를 찾는다. 이때 이동을 담당하는 '새'를 '차원의 새'라고 부른다. (오직 신만이 이 존재를 끝까지 인식할 수 있다.)스스로 크기조절이 자유로우며, 우주 안에서만 특별히 움직이는 속도를 0~무한대까지 낼 수 있다. 필요에 따라 우주 끝에서 끝까지 1초도 걸리지 않는다.

별의 요람, 그 후의 이야기

별의 씨앗은 자신이 만든 행성에서 또다시 생명이 태어나게 하는 것이 항상 어렵다는 것을 느끼고 있었다. 스스로도 여러 단계를 거쳐 그 힘이 약해진 것이라 판단하였다. 씨앗은 직접 행성 외피와 나무 대신 보다 작은생명을 만들어 보기로 했다. 처음에는 행성의 모양인 구 모양으로 살아있는 행성처럼 만들다가 점점 창의성 있게 발전하기 시작했다. 끝내 지금까지 그리고 앞으로도 다시는 없을 만큼 세련된, 생명체를 만들어 낸다. 그것은 사회를 이루며 태초의 행성위에서 살았었다. 그들의 문화와 과학기술이 점점 발달하면서 점차 살고있는 행성이 매우 특이한 행성임을 알아차렸다. 그리고 연구 끝에 최종이론을 깨닫고 우주의 모든 것을 알게 되었다.

별이 요람 그 자체가 우주의 운명을 바꾸기 위해서 만들어진 존재였기 때문에 별의 요람을 개조하면, 운명을 조작하는 기계가 될 수 있다는 것이 밝혀졌다. "시공간을 휘어지게 할 수 있다." 라는 것은 시공간에 어떤 변화를 줄 수 있음이었고, 적절하게 의도한 대로 휘는 것을 조절하면 신처럼 시공간을 쥐락펴락 할 수 있다는 것이다. 어차피 신은 이 우주에 간섭하는 것 보다, 우주의 자발성을 더 좋아했다. 신이 개입을 최소화 한다는 것을 알고 난 후, 그 생명들은 별의 요람을 개조하여 우주 안에서 신의 경지에 오르려 했다. 아무리 우주의 진리를 알아도 기술발전은 끝이 없었다. 개조를 위한 무분별한 연구와 개발, 자원채굴로 인하여 태초의 행성은 파멸로 향하게 되었고, 본래 기능까지 잃어버릴 위기에 처했다.

보다 못한 신은 우주에 개입했다. 우주의 물리법칙을 다시 보완하여 완성한 것이다. 추가적 장치와, 행성을 만드는 기능도 복구가 되었다. 동시에 시공간의 어떠한 법칙 속에 숨겨 놓았다. 요람을 파멸로 몰고갈 뻔한 그 생명들은, 그 벌로 신께서 업그레이드한 별의 요람의 일부가 되어 요람의 손상을 복구하는 기능을 떠안고 별의 노예가 되었다.

그리하여 '해당 우주의 행성과 생명이 어떻게 태어났는지'에 관하여 별의 요람을 알지 못하는 존재들에게는, 영원히 풀리지 않는 수수께끼로 남게된다.

작가의 말

지금까지 인생을 살면서 써왔던 글 중에 괜찮다 싶은것만 추려서 모아보았다. 대부분의 글들은 2019년에 작성되었다. 나머지는 훨씬 오래전에 쓴 글이었다.

◇ 보조뇌 전쟁

주입식 교육이라는 식상한 주제를 바탕으로 썼다.

배워서 얻은 능력이 그저 '도구'처럼 인간개인의 존재와 따로 노는 현상을 비판하려는 목적.

◇ HAY

"행복은 물질에서 오는 것이 아니라 내면에서 오는 것이다."

이러한 문구를 처음 들어본 때가 초등학교 수업시간이었다.

그리고 바로 질문을 했다.

"그렇다면 평생 마약이나 하고 살면 그게 행복인가요?"

"마약은 비싸고 중독이 되니까 인생을 황폐하게 만든다. 행복하고는 거리가 멀지."

이때 새로운 의문이 든다. 중독성이 없고 비싸지 않으면 어찌되는가?

다른 누군가에게 똑같은 질문을 추가해서 물어보았다.

그러니까 그래도 마약은 아니라고 했다.

어찌보면 당연한 이 답변속에서 발견한 것은,

아무리 인간이 내린 '행복'의 정의가 두루뭉술해도

"행복"은 순수'내면'보다 최소 뭔가 더 있다는 것을...

여기서 산파법처럼 조금 더 질문을 던지면 사람들은,

물질적 충족을 어느정도 만족하면서도 정신적인 발전을 포함시킨다.

"단지 기분만 좋으면 그게 행복한 삶인가?" 이렇게 표현하면 직관적으로 아니라는 것이 이해된다.

바로 이러한 화두로 시작한 이 이야기는 왠지 그 화두가 적절히 표현된것 같지 않아 아쉽다.

◇ 스미스씨에게

'당신이 실제로 좋아하고 싫어하는 상관관계와 관련성이 과연 100% 정확하게 파악한 것일까?' 라는 의문을 던지기 위하여 어떤 특정 상황을 가정하며 썼다. 구체적인 이야기를 더 서술하는 것은 생략했다. 구구절절한 스토리가 목적이 아니었기 때문이다.

자신이 아는게 다가 아니다.

이것은 이 세상에 타인이 최소 2명 이상 존재하기 때문이다.

◇ 달

행성의 의인화. 인간을 행성에 비유한 것은 아니다.

\<삽화 참고자료\>

'모닝글로리'의 어떤 노트 표지에서 가져왔다.

사실 여기서 영감을 받아 글을 쓰게 되었다.

이야기의 기원을 그대로 명시를 하고싶어서 똑같이 그리려다 끝내 그 일러스트를 원본과 다르게 그리게 되었다.

◇ 숨겨진 세계

※ 머피의 망토는 머피의 법칙을 막아주는 마법 아이템.

어린 나에게 백화점이란 환상의 장소였다.

가족끼리 뭐 사러갈때가 가끔 있었다. 일단 어머니와 누나들하고 같이 있다간 '지켜보는것 만으로도 고구마를 지겹도록 계속 먹어야 하니까' 그 시간동안 혼자 돌아다니게 되는데...

해리포터를 즐겨 본 나로서 혼자 막 상상의 날개를 펼쳐나갔다. 계속 돌아다니다가 환상의 세계로 가는 입구를 발견할수 있지 않을까?

그러다가 별거 없어서 아쉬웠던... 그때 그 마음으로 쓴 글.

그래서 돈의 단위는 처음에 '갈래온'이었다가 @ 바꾼것.

◇ 탄생

인간이 아닌 대상을 의인화시키는데서 아이디어를 얻은 글.

그러다가 '어디에도 있는 삶' 여기에 2번째로 활용된다.

'어떤 우주의 정보문명'도 비슷한 스타일로 작성되었다.

◇ P의 비극

내인생 두번째 창작단편

여기 소개된 내용과는 다르게 밝히지 않은 '초창기 버전'을 대략적으로 소개하자면, '고독'에 초점이 맞춰져 있었다.

밥을 먹어도 차갑게 식어있고, P에 대하여 알고 나서는 화가나서 키보드를 집어 던지는 것이 차이점이다.

◇ 선인장

표면적으로 느껴지는 것과 실제효과의 괴리에 대한 화두.

이것은 일러스트를 먼저 그린 다음 몇 년이 흐른 후. 내 그림을 스스로 다시 보고 이야기까지 쓰게 되었다.

◇ 민들레

'인간의 이기심과 허영으로 자연을 건드는 행위'와

'자연 그 자체를 위하여 자연을 건드는 행위'의 차이점을 주제로 한 이야기.

초등학교 2학년 때 방학 숙제로 냈다가 상을 받았던 글. 순수했던 어린시절이 보이는 듯 하여 나중에 기억으로서 복원하듯 다시 쓴 다음, 차후에 살을 붙이고 다듬게 되었다.

초창기 버전은 생일잔치와 네잎클로버에 대한 언급이 없다. 살이 붙기 전에는 훨씬 더 짧았었던 것이다.

◇ 미코노스 섬으로 휴가를

이것은 내인생 0번째 이야기로서

'이전버전'이 많다. 제목도 미코노스하고 전혀 관련이 없다.

자세히 보라. 꼭 미코노스가 아니라도 상관이 없다.

맨 처음에는 흙으로 만든 찜질방의 풍경을 보고 어떤 집의

방을 하나 하나 구경하는 글을 썼다.

문을 열면 숲이 펼쳐지고 허공에 문이 있으며... 어릴때 부터 대략 이러한 환상여행을 좋아했다.

그 당시 나는 개인 컴퓨터가 없어서 컴퓨터가 있던 친구집에 가서 썼다.

로봇에 대한 소재는 바로 이 친구의 영향력이었다.

그 다음으로 변한 버전은 또 장소가 변한다.

중학교 등교길에 있던 작은 공원이 좋아보여서 모티브가 추가되었다.

(나중에 그 공원은 시에서 다듬는 작업을 했다. 생으로 숲같던 곳에 산책로를 만들어 놨다. 분위기도 좋다. 그리고 실제 집처럼 생긴 작은 건물이 하나 들어서게 되는데... '화장실'이다. 이것도 왠지 흔적처럼 남아있다!)

여기는 산을 깎아 내다가 그냥 살짝 공원으로 남겨둔 장소였는데, 이 장소에 숨겨진 시공간이 있고 거기에 어떤 집이 있으며...

이렇게 장소를 또 바꾼다. 이때 이야기의 틀이 고정된다. 여기에 이상한 나라의 엘리스처럼 기본적인 판타지를 여행하는 근원적 설정을 유지하면서 로봇에 대한 내 생각을 추가하여 더하게 되었다.

극 초창기에는 방 중에 피아노가 있는 방이 있었다. 여기서 소리가 날까봐 두드리는 척만 하는 내용이 있었다. 영화

피아니스트를 따라한건 아닌데 아마 머리속에 남이 있었던 모양이다. 이건 아무리 생각해도 주거침입. 그래서 뺐다. 그러다가 곳곳을 구경하는 이유를 로봇을 통하여 자연스럽게 합리화 하듯 스토리를 구성한 결과, 지금 보는 이 이야기가 나왔다.

내가 써왔던 글을 추려내다가 보니까 대부분 주인공이 혼자 등장하고 혼자 끝나는 글이 많았다. 이것은 내 인생이 늘 외톨이였다는 것을 의미하기도 한다.

◇ 환영의 샘

초등학교 6학년때 영어 영작문 시간. 이야기를 쓰려다가 영어실력이 바닥이라 시작도 못한 이야기.

나니아 연대기처럼 거창한 것을 생각했었다.

그때 내 이야기에는 뼈대도 없었다.

세월이 오래 지나고 어른이 되어 이것을 그냥 한글로 이어서 쓴 것.

◇ 별의 요람

대학교 동아리 전시회때 개인 작품으로 내려다가 통과를 받지 못했던, 그 작품의 설명을 이야기로서 실어놓는다.